Eerlijk gevond

Met dank aan Tomie Doerk en Lissa Lumi Hama voor het zorgvuldig controleren van deze tekst

Eerlijk gevonden!

Anneke Scholtens
Met tekeningen van Pauline Oud

Zwijsen

LEES N!VEAU

	ME	ME	ME	ME	ME		
AVI	S	3	4	5	6	7	P
CLIB	S	3	4	5	6	7	8	P

geld; avontuur

Toegekend door Cito i.s.m. KPC Groep

1e druk 2010
ISBN 978 90 487 0527 6
NUR 283

© 2010 Tekst: Anneke Scholtens
© 2010 Illustraties: Pauline Oud
© 2010 Omslagfoto: Marijn Olislagers
Vormgeving: Eefje Kuijl
Opmaak: SterkSpul, Almere
Uitgeverij Zwijsen B.V., Tilburg

Voor België:
Uitgeverij Zwijsen.be, Antwerpen
D/2010/1919/79

Inhoud

Verrijk je geest met dit geld

Bizarre gevallen waarbij geld zomaar wordt weggegeven

▶ Zakken met bankbiljetten, compleet met gelukswensen voor de vinder; in Japan wordt steeds vaker geld gevonden.

▶ Kan uitdelen van geld een internationale trend worden?

Door DENNIS RIJNVIS

ROTTERDAM. Het leek een incident. Bezoekers van een toilet in een overheidsgebouw van het Japanse Shizuoka vonden in september vorig jaar voor het eerst een pakket bankbiljetten. Er lag 200.000 yen (zo'n 1.200 euro) op de tegelvloer en het geld was duidelijk achtergelaten als donatie. Tussen de biljetten een briefje met de tekst: „Verrijk je geest hiermee".

Maar inmiddels staat het bizarre geval van liefdadigheid niet meer op zich. Op steeds meer en steeds vreemdere plaatsen in Japan wordt bijna letterlijk met geld gestrooid. Het televisiestation NHK zette deze maand een groot aantal voorbeelden op een rijtje: in 18 overheidsgebouwen zijn de afgelopen maanden totaal 400 geldpakketten gevonden met een gezamenlijke waarde van ongeveer 35.000 euro – allemaal vergezeld van een briefje met gelukswensen.

Maar ook tientallen bewoners van een flat met de naam Glanz Ober in Tokio kregen een anonieme envelop met geld in hun brievenbus – opgeteld was het bijna 2 miljoen yen (12.000 euro). Bij een vestiging van de supermarktketen Popura dwarrelden volgens berichten van de BBC zelfs briefjes van 10.000 yen door de lucht, omdat iemand het van een viaduct af strooide.

Over de herkomst van het geld is nog steeds niets bekend. Er gaan geruchten over een rijke filantroop die anoniem van zijn geld af wil. Maar omdat de bankbiljetten in verschillende steden zijn gevonden, vermoeden sommige mensen dat het gaat om meerdere gulle gevers die elkaar hebben aangestoken.

Uit: NRC Next

1 Kenshin

Om precies tien voor vijf stond ik voor Mizuho, het grote bankgebouw, waar mijn vader werkt. De moed zonk me nog dieper in de schoenen, toen ik langs die hoge, gladde muren omhoog keek en bedacht dat mijn vader daar ergens op de hoogste verdieping op mij wachtte.

Ik wist precies waarom ik moest komen. Ik had een 53 gehaald voor geschiedenis en mijn vader vindt dat vér beneden peil. Zo zegt hij dat: met de nadruk op vér en met een mond als een droevige smiley. 'Míjn zoon haalt geen 53,' zou hij straks gaan zeggen. Let maar op.

Mijn buik deed zeer van de zenuwen en dat werd niet echt beter toen ik een heel strenge meneer bij de receptie zag zitten. Gauw sloeg ik linksaf, de hal met de wc's in. Ik deed een plas en ging nog even op de bril zitten om na te denken. Poe hé, ik zag echt tegen dat gesprek op. Mijn vader is wel aardig, hoor, een goede vader, maar soms is hij zo streng!

Na een tijdje stond ik op. Toen ik doortrok, zag ik opeens iets wits achter de wc-pot op de grond liggen. Wc-papier? Nee, het was glad en heel wit. Het leek wel een envelop. Het wás een envelop, ontdekte ik, toen ik voorzichtig hurkte om het witte ding tevoorschijn te trekken. Even keek ik om me heen. Het was toch geen grap, hè? Er hing hier toch geen camera waardoor ze me in de gaten hielden? Of waarmee ze me filmden om me op YouTube te zetten en straks heel hard te kunnen lachen, of zoiets? Maar nergens zag ik een verdacht zwart of blauw oog.

Was die envelop uit iemands broekzak gegleden? Het was een raar geval, zo wit en zonder letters erop. Ik hield hem tegen het licht en zag dat er wel iets ín zat. Natuurlijk mocht ik die envelop niet openmaken – dat wist ik maar al te goed – maar mijn vingers hadden het al gedaan voordat ik er erg in had. Er zat geld in die envelop, 10.000 yen!*

Was het echt? Of namaak? Het leek heel echt ... Had iemand het verloren? Aan wie moest ik het dan teruggeven? Aan die bullebak bij de receptie? Die man zou me niet eens geloven! Zoals hij net naar me keek! Maar opeens zag ik dat er nóg iets in de envelop zat: een briefje. Het moest wel door een heel oud, beverig iemand geschreven zijn, want er stond in bibberhandschrift op:

Doe iets goeds met dit geld voor jezelf en voor anderen.

Aha, het geld was dus niet door iemand verloren! Een beverig, oud iemand had het hier neergelegd voor de eerlijke vinder! En dat was ik dus! In de spiegels zag ik mijn gezicht, dat er opeens heel blij uitzag, alsof ik helemaal vergeten was dat ik op weg was naar een donderpreek van mijn vader.

Mijn vader. Die zou het nooit goed vinden dat ik dit geld hield. Nooit! Ik denk dat ik het van hem meteen naar de politie zou moeten brengen. Of ... als hij een heel goede bui had – en dat had ie nu zeker niet – dan zou ik het op mijn bankrekening moeten zetten om te sparen voor later. Voor mijn studie. Nee, dat zou zonde zijn. Die beverige persoon had het tenslotte helemaal niet over later en studeren. Die had het over iets goeds doen voor mezelf en voor anderen. Ik had meteen een uitstekend idee.

* *10.000 yen = ongeveer 55 euro*

Echt, ik hoefde er geen seconde over na te denken. Ik stopte de envelop in de binnenzak van mijn blauwe jasje en liep terug naar de receptie.

De receptionist keek nog strenger dan zonet. Was het soms verboden te lachen in dit gebouw? Zelfs als je net een envelop met geld had gevonden? Ha, maar daar wist deze chagrijn natuurlijk niets van.

'Konnichiwa, shitsurei shimasu,'* zei ik op mijn allerbeleefdst. 'Ik zou graag meneer Yokota spreken.'

Tegen sommige mensen kun je net zo goed ónbeleefd zijn. Echt waar, de portier vertrok geen spier van zijn varkenskop en vroeg of ik wel een afspraak had. Terwijl hij weet dat de buitengewoon belangrijke heer Yokota mijn vader is!

'Ja zeker wel, meneer,' zei ik alweer heel beleefd. 'Meneer Yokota weet dat ik kom.'

'Dan zal ik eens kijken of ik hem kan storen,' zei meneer varken.

Pfff, storen, dacht ik. Hij heeft me zelf hier besteld. Hij zat vast al handenwringend op me te wachten en zou woedend zijn als ik níét kwam.

De receptionist drukte op een paar knopjes en wachtte op de stem van mijn vader. 'Er staat hier een jongeman voor u.'

Mijn vader bromde iets terug, wat de receptionist blijkbaar verstond.

'Je kunt doorlopen,' zei hij. 'Je wordt op de tiende etage verwacht. De liften zijn hierachter in de hal.'

In de lift trok ik gekke bekken naar mijn spiegelbeeld. 'Weet je wat ik hier heb zitten?' vroeg ik. 'Nee? Een envelop! En weet je wat ik daarmee ga doen? Ik ga een feestje geven. Een supergeheim feestje voor mijn arme klasgenoten, die zo hard

*Goedemiddag, sorry dat ik u stoor

9

moeten werken. Sommigen moeten élke dag naar juku.*
Stel je dat eens voor! Elke dag naar school tot acht uur of
halfnegen. En daarna nog huiswerk maken! Hun moeder komt
naast hen zitten om te zien of ze wel alles afmaken. En zelfs in
het weekend is het huiswerk, huiswerk, huiswerk. Echt waar!
Hun leven bestaat uit schoolwerk en slapen. Nee zeg, die kunnen
wel een feestje gebruiken. Als dát niet iets goeds is voor mezelf
en anderen, dan weet ik het niet meer. Leuk, toch?'
Mijn spiegelbeeld stond me heel dom aan te kijken en vergat
te antwoorden. Toen was ik op de tiende etage. Boem, boem,
boem, mijn hart begon weer te jagen.

Ik klopte zacht op de deur van mijn vaders kamer. Waarschijnlijk
stond hij er pal achter, want meteen zwaaide die deur open. Mijn
vader had een telefoon aan zijn oor, maar wenkte mij toch dat
ik binnen moest komen. Hij gebaarde naar een stoel die bij een
lange, gladde tafel stond. Ik ging er braaf op zitten en keek rond.
Er was hier niets veranderd sinds de laatste keer dat ik hier zat.
Dezelfde tafels, stoelen en kasten, dezelfde grote planten in
potten, dezelfde schilderijen.
Mijn vader praatte maar door over geld, mogelijkheden en
kansen, winnen en verliezen. Het duizelde me. Toch grinnikte ik
één keer bijna hardop, toen ik mijn vader hoorde zeggen: 'Het

*bijles na schooltijd. In Japan volgt ongeveer 60 procent
van de leerlingen juku na schooltijd, gemiddeld twee dagen
per week gedurende twee uur. Normaal gesproken hebben de
kinderen les tot halfvier. Daarna volgen: schoonmaak van
het gebouw en clubactiviteiten (sport of muziek) tot zes uur.
Op juku-dagen volgt daarna nog de bijles; dan hebben de
kinderen dus tot acht of negen uur school. Daarna moeten
ze vaak thuis nog huiswerk maken.

geld komt nou eenmaal niet uit de hemel vallen.'

'Soms toch wel,' had ik willen zeggen, maar ik voelde dat dit typisch zo'n serieus gesprek was, waarbij je absoluut niet mag storen. Na een uur of drie, zo leek het tenminste, legde mijn vader eindelijk zijn telefoon neer.

'Zo, daar ben je,' zei hij. Hij ging tegenover mij zitten en legde zijn vingertoppen tegen elkaar. Een tijdje keek hij mij strak aan. 'Dit is mijn leven,' zei hij plechtig. Als hij dat soort dingen zegt, moet je altijd oppassen. Want ik wéét natuurlijk wel dat dit zijn leven is, dus hij bedoelde iets anders.

'Ja papa,' zei ik, en ik hoorde mezelf heel verlegen kuchen.

'Zoals je ziet, heb ik een prachtig kantoor,' ging hij verder. 'Sta maar eens op en kijk wat rond.'

Ik keek hem onzeker aan. Wat was dit nou weer? Waarom moest ik rondkijken in een kamer die ik zo goed kende? Was er dan toch iets nieuws, iets wat ik over het hoofd had gezien?

Aarzelend kwam ik overeind en liep zogenaamd nieuwsgierig naar een hoek van de kamer. Ik bekeek het schilderij van de twee paarden, dat ik zo goed kende en dat ik ook wel mooi vond. Ik liet mijn ogen nadrukkelijk langs de muren gaan, zodat mijn vader kon zien dat ik echt ieder vlekje op de muur zag.

'Kijk maar eens uit het raam.'

Ik gehoorzaamde, terwijl ik er nog steeds niets van snapte.

'Wat zie je?'

'Mensen,' zei ik met een dun stemmetje. 'Heel kleine mensen en straten en pleinen en stoplichten en gebouwen.' Wat erg, dacht ik bij mezelf. Wat erg, om hier dag in dag uit ín deze hoge toren gevangen te zitten en te moeten zien hoe andere mensen lekker door de straten lopen en over de pleinen slenteren. En dan zelf achter het glas te moeten blijven, alleen maar te kunnen kijken ...

'Als ik koffie wil, hoef ik maar op een knopje te drukken,' zei mijn vader. 'Wat wil jij? Cola?'

'Hai arigatô, otôsan,'*¹ zei ik.

Mijn vader drukte op een geheim knopje en bestelde koffie, cola en koek. Vroeger vond ik dat geweldig. Het idee dat je zomaar kon vragen wat je wilde en dat het dan ook gebracht werd. Er kwam een meisje binnen met een dienblaadje waarop alles stond wat mijn vader gevraagd had. Het meisje zag er heel mooi en deftig uit. Ze had haar gezicht heel dik opgemaakt en haar haren opgestoken. Met een elegante buiging zette ze de spullen op het tafeltje naast mijn vaders bureau.

'Dôzo, Yokotasan.'*²

Ze had dorayaki*³ meegebracht, de lievelingscake van mijn vader. Dat hoefde hij niet eens apart te bestellen; dat wísten ze hier dus gewoon.

'Dômo arigatô, Yukikosan,'*⁴ zei mijn vader. Zodra het meisje weg was, zei hij: 'Kijk, dat bedoel ik. Ik heb een prachtig kantoor, ik word op mijn wenken bediend, ik voer belangrijke gesprekken met interessante mensen. En weet je hoe ik dat heb bereikt?'

Ik wist het, want het was niet voor het eerst dat mijn vader mij die vraag stelde.

'Door hard te werken, otôsan,' zei ik.

'Door éérst op school te zorgen dat ik altijd de beste was en dáárna altijd hard te werken,' verbeterde mijn vader mij.

'Hai, otôsan.'

'En ik hoorde van je moeder dat jij niet erg je best doet, de laatste tijd.'

---

*¹ *Ja graag, papa*
*² *Alstublieft, meneer Yokota*
*³ *Japanse cake met azukibonen. Dat zijn kleine, donkerrode bonen.*
*⁴ *Heel erg bedankt, Yukiko.*

'Dat is niet waar!' wilde ik zeggen. Ik had tenslotte maar één slecht cijfer gehaald en dat was op een bloedhete dag met een loeiende machine onder ons raam. Daarbij was het proefwerk ook nog eens belachelijk moeilijk. Maar ik durfde mijn vader niet tegen te spreken. 'Ik zal beter mijn best doen, papa,' zei ik. Mijn vader keek mij streng aan. 'Mijn zoon haalt geen 53.' Daar had je het al. 'Of is het nodig dat je nóg een dag naar juku gaat?' Nog meer juku! Dat was nog eens een dreigement! Op mijn twee juku-dagen zat ik tot acht uur, soms zelfs tot halfnegen op school. Ik wilde er echt niet nóg zo'n dag bij hebben. 'Ik zal ervoor zorgen dat dat niet nodig is, otôsan,' zei ik zacht.

'Ik reken erop dat dit bureau ooit van jou zal zijn, Kenshin. Dat jij hier zult zitten.'

'Ik doe mijn best daarvoor,' zei ik snel en ik boog mijn hoofd, om te laten zien dat ik het serieus meende. Natuurlijk heb ik geen zin om later net als mijn vader hier opgesloten te zitten, maar dit was niet het goede moment om dat te zeggen.

Opeens moest ik weer aan het geld in de witte envelop denken. Ik dacht dat ik het voelde zitten in de binnenzak van mijn blauwe jasje. Even leek het alsof papa het kon zien, maar misschien verbaasde hij zich alleen maar over mijn plotseling lachende ogen.

Gelukkig gaf papa me mijn glas cola aan. 'Proost,' zei hij.

'Proost,' zei ik, maar ik dacht ondertussen aan mijn feestje, mijn supergeheime feestje. Wat had ik daar een zin in!

2   Linda

 'Is dat eerlijk soms? Is het eerlijk dat iedereen in mijn klas een mp3-speler heeft, behalve ik?'
Deze vraag stelde ik aan mijn moeder, maar dat had weinig zin. Ze zat achter haar computer en probeerde een artikel te schrijven en dan luistert ze nooit. Ze bromt wel af en toe iets om te doen alsof ze luistert, maar in werkelijkheid hoort ze geen woord van wat je zegt.

Ik besloot haar goede voorbeeld te volgen en ging naar mijn kamer, naar mijn eigen computer. Niet dat ik van plan was ook een artikel te schrijven, ik ging liever even chatten met Niki. Via haar houd ik contact met Nederland. Zij vertelt me hoe alles gaat op mijn oude schooltje en met mijn oude klas. Dat is fijn, maar soms maakt het mijn heimwee wel erger. We wonen nu een half jaar hier, in Tokio, en we blijven nog zeker anderhalf jaar. Misschien wel tweeënhalf jaar. Papa en mama zijn ervan overtuigd dat ik het hier vanzelf leuker ga vinden. Eerlijk gezegd zou ik niet weten waarom. In Nederland verstond ik iedereen tenminste, ik kon op straat alles lezen en ik raakte niet voortdurend de weg kwijt. Ik snap niet dat er mensen zijn die in Tokio normaal de weg kunnen vinden! Die moeten wel een ingebouwd kompas hebben of een fotografisch geheugen, of zoiets. Sommige dingen hier zijn wel leuk – sushi eten bijvoorbeeld – maar als het aan mij had gelegen, woonden we nog steeds in Utrecht. Maar zoals gewoonlijk werd mij niets gevraagd.

'Linda, we hebben een leuk nieuwtje: we gaan in Tokio wonen.'
'O, maar ...'

14

*'Vind je het niet fantastisch? Dan ga jij naar een internationale
school ...'*

'Ja, maar ...'

'Daar leer je heel veel kinderen kennen uit allerlei landen ...'

'Maar misschien ...'

*'En je kunt op allerlei sporten gaan! In Japan houden ze erg
van sport!'*

'Maar ik hou ...'

'En je gaat natuurlijk Japans leren en ...'

'Ik denk dat ...'

'En je krijgt muzieklessen op school!'

Zo ging het en ongeveer tijdens onze landing op Narita
International Airport kon ik voor het eerst al mijn zinnen
afmaken.

'Maar ik vind Utrecht veel leuker!'

'Ik wil op mijn eigen school blijven!'

'Misschien zijn het allemaal stomme kinderen uit andere
landen!'

'Ik hou helemaal niet van sport!'

'Ik denk dat ik dat Japans nooit leer! En wat heb ik eraan?'

Ik kreeg meteen antwoord, dat wel, van mijn beide ouders
tegelijk: 'Rustig nou maar, het komt allemaal wel goed.'

Nee, daar heb je wat aan!

En nu woon ik dus in Tokio en, oké, het valt best mee. Het is
soms zelfs bijna leuk, maar ik mis Utrecht nog steeds heel erg.
En vooral mijn klas en héél erg vooral: Niki.

Zou Niki al wakker zijn? Ik was heel vroeg uit school, het
was nog maar vijf over halfdrie, dus in Utrecht pas vijf over
halfacht 's ochtends. Niki zat soms voor schooltijd al achter haar
computer. Mmm, misschien maakte ik wel een kansje.

Yes! Ze was online!

14:35:13

Niki zegt:
Mees Harry was gisteren weer lekker chaggie. We deden alles verkeerd volgens hem en toen mochten we maar heel kort naar buiten. Echt fijn.

14:37:46

Linda zegt:
Heeft-ie nog steeds dat gekke, groene jasje met die uitgelubberde zakken?

14:38:17

Niki zegt:
Jasje? Hoezo jasje? Zeg maar rustig wigwam. Dat ding zakt elke dag verder uit.

14:38:55

Linda zegt:
En zijn haar? Kamt hij dat tegenwoordig wel eens?

14:39:14

Niki zegt:
Nee! Volgens mij denkt hij dat coupe windhoos in de mode is. We zullen hem een setje kammen voor zijn birthday geven (= volgende week).

Ik zoog mijn lip naar binnen. Straks vierde mijn oude klas de verjaardag van mees Harry en dan zat ik hier. Gingen ze daar lekker koekhappen en zaklopen ... Vorig jaar had ik samen met Niki eindeloos gezeurd over al die kinderachtige spelletjes die mees Harry verzonnen had. Maar dit jaar zou ik er zo graag bij zijn ... Al was het maar een halfuurtje.

14:41:05   Niki zegt:

Linda?

14:41:08   Linda zegt:

Ja, goed idee. Misschien moeten jullie er dan een gebruiksaanwijzing bij stoppen, anders gaat hij er vast heel vreemde dingen mee doen.

14:42:36   Niki zegt:

Gisteren moesten we van hem in de regen gymmen. Lekker was dat! Nou ja, het miezerde, maar toch. Ik was echt kletsnat.

14:43:15   Linda zegt:

Wat een bruut! En zelf stond hij zeker onder het afdakje?

14:43:54	Niki zegt:
	Onder zijn paraplu.

14:44:16	Linda zegt:
	Die rood-witte?

14:44:42	Niki zegt:
	Nee, die heeft hij in de tram laten staan. Ha ha, sukkel. Nu heeft hij een blauwe. O, mijn moeder roept. Ik moet haar helpen met iets, geloof ik. Later.

Ik staarde naar mijn scherm. Mees Harry, streng! Nou, Niki moest nodig eens een weekje naar Japan komen. Dan kon ze eens zien hoe écht strenge meesters eruitzien!

Verveeld pakte ik mijn totaal achterhaalde cd-speler. Ik durfde hem niet mee naar school te nemen; tussen al die flitsende mp3-spelers zag dit er echt antiek uit! Gelukkig deed ie het nog wel, dus zocht ik mijn favoriete cd'tjes bij elkaar en ging op bed liggen luisteren.

Uren later schrok ik wakker van een harde 'ploink!' uit mijn computer. Er was een pop-up geopend. Ha, Kenshin! Meteen kwam ik overeind om te lezen wat hij te vertellen had.

18:16:23	Kenshin zegt:
	Raad eens wat ik gevonden heb?

18:16:50	Linda zegt:
	Een zwerfkat.

18:16:58	Kenshin zegt:
	Het lag achter een wc-pot (in Mizuho).

18:17:10	Linda zegt:
	In Mizuho? Wat moest je daar?

18:17:16	Kenshin zegt:
	Een preek aanhoren van mijn vader. Maar je raadt het toch nooit: achter de wc lag een envelop met 10.000 yen!!!!

18:17:38	Linda zegt:
	Van wie was die?

18:17:49	Kenshin zegt:
	Weet ik veel. Maar er zat een briefje bij en daar stond op: doe iets goeds met dit geld voor jezelf en voor anderen.

18: 18: 10	Linda zegt:
	Moet ik geloven zeker.

18:18:13	Kenshin zegt:
	Ja! En ik ga iets héél goeds doen: een geheim feestje in het park. Voor mijn afgebeulde klasgenoten. En natuurlijk mag jij ook komen. Zeg het niet tegen je vader, want die vertelt het meteen aan de mijne.

18:18: 24	Linda zegt;
	Nee, tuurlijk niet. Leuk, een parkparty! Wanneer?

18:18:33	Kenshin zegt:
	Volgende week zaterdag.

18:18: 40	Linda zegt:
	Ik ben er!

18:18:42	Kenshin zegt:
	Oké! Ik ga huiswerk maken. Goed van mij, hè?

18:18:56	Linda zegt:
	Wow! zeg dat wel. Veel plezier!

Geld achter de wc! En dan dat briefje erbij! Of zou Kenshin me voor de gek houden? Je wist het bij hem nooit zeker.

Toen ik hem voor het eerst zag, dacht ik dat hij heel saai en stijf was. Onze vaders werken bij dezelfde bank, de Mizuho Financial Group. Zijn vader is héél belangrijk, dus toen wij bij hen op visite gingen, kwamen mijn ouders van tevoren met een kilometerslange lijst met regels over wat ik wel en wat ik vooral niet moest doen. Ik durfde me nauwelijks te bewegen! Het was zo deftig allemaal. Kenshin zei niets en zat daar maar braaf in zijn nette pak. Hij leek wel ingevroren! En toen, opeens, mocht hij mij zijn kamer laten zien. Nou, daar verheugde ik me echt op. Maar de deur was nog niet dicht, of hij werd een heel andere jongen. Zijn mond bleek te kunnen praten – in het Engels – en zijn gezicht bleek te kunnen lachen. En hoe! Het was meteen die eerste middag al gezellig. Sindsdien praat ik vaak met hem op Facebook.

Mijn vader kwam die avond om negen uur thuis. Vroeg voor zijn doen. Eerst vertelde hij mijn moeder allemaal doodsaaie verhalen over de bank en de beurzen en collega's. Dat hij het daar uithoudt! Volgens mij verlangt hij stiekem ook terug naar Nederland, maar hij bijt nog liever zijn tong af dan dat toe te geven. Opeens herinnerde hij zich iets.

'O ja, zo gek! Een collega vond op de wc een envelop. En weet je wat daarin zat?'

Nu was het mijn beurt om mijn tong bijna af te bijten. Oei, moeilijk hoor, als je eindelijk eens het antwoord op een raadsel weet en je mag het niet zeggen.

'Nou?' vroeg mijn moeder nieuwsgierig.

'Nou?' vroeg ik schijnheilig.

'Een envelop met 10.000 yen erin! En er zat een briefje bij met: Doe hier iets goeds mee!' 'Voor jezelf en voor anderen,' wilde ik al aanvullen, maar ik perste mijn lippen op elkaar.

'Wat bijzonder!' zei mijn moeder. 'En wat gaat hij ermee doen?'

'Dit is Japan!' lachte papa.

'En dus?' vroeg ik.

'Naar de politie brengen! Meteen!'

Mmm, dacht ik, niet álle Japanners zijn zo. Misschien vooral de jónge Japanners niet. Gelukkig maar, zo'n geheim feestje is veel te leuk.

'Ik zag Kenshin nog bij ons op kantoor,' zei papa.

'Ja, die moest bij zijn vader komen,' zei ik.

'Aha, dat bericht is meteen via de tamtam verspreid?'
Ik verschoot van kleur. Had ik iets verraden? 'Hij had een
slecht cijfer, of zoiets,' mompelde ik gauw.

'Ja, meneer Yokota houdt de vinger aan de pols,' lachte mama.

Even later waren papa en mama allebei verdiept in een krant.
Papa las een Engelse krant, maar mama probeerde de *Shimbun* te
ontcijferen, het stadsblad van Tokio. Ze schrijft reportages voor
Nederlandse tijdschriften en dus is het voor haar belangrijk het
laatste nieuws uit Japan te hebben. Met samengeknepen ogen
duwde ze haar neus zowat tegen de pagina om al die karakters
te ontcijferen. Ze heeft thuis in Nederland al een beetje Japans
geleerd, maar zo'n hele krant vol is nog wel even wat anders. 'Hé,'
zei ze opeens. 'Die collega van jou is niet de enige. Ik lees hier ...'
Ze wees met haar vinger bij, van boven naar beneden. 'Er zijn op
verschillende plaatsen in de stad enveloppen met geld gevonden.
Altijd in herentoiletten! En altijd met zo'n briefje erbij. Nou ja!
Iedereen is benieuwd wie die gever is en wat hij ermee bedoelt.'

Ik schoot rechtop. 'Meer enveloppen?' vroeg ik. 'Waar zijn díe
dan gevonden? In welke gebouwen?'

'Dat staat er niet bij,' lachte mama. 'Anders wou je zeker ook
eens op jacht gaan?'

'Ja!' riep ik.

'Klein probleempje is wel dat het om herentoiletten gaat,' zei
papa. 'In Nederland glippen jullie wel eens stiekem een heren-
wc in, als het te lang duurt bij de dames, maar hier in Japan hoef
je dat echt niet te proberen.'

'Toch ben ik benieuwd welke gebouwen dat zijn,' hield ik vol.

'Vertel je het, mam, als je het ergens tegenkomt?'

23

3 Yasuo

Bij het dichtplakken van de achttiende envelop voelde ik een scheut in mijn rug. Ik wreef over de zere plek, terwijl ik mijn tafel overzag. Daarop lag nu een hele verzameling witte enveloppen. In de een had ik 10.000 yen gedaan, in de andere 20.000, of soms zelfs 30.000. Het was een plezier om mijn ogen eroverheen te laten glijden. Ik stelde me de gezichten voor van de mensen die deze enveloppen straks gingen openen. Zouden ze zich laten aansporen door mijn briefjes? Zouden ze inderdaad bedenken wat voor goeds ze konden doen met mijn gift? Of zouden ze mijn geld onmiddellijk naar de politie brengen? In de krant stond dat de politie de enveloppen bewaart. Als er na een half jaar niemand voor komt, mogen de eerlijke vinders het geld houden. Vreemd! Ik schrijf er toch bij dat het een gift is?

Ik probeerde op te staan. Ik moest me vastgrijpen aan de rand van de tafel om mezelf overeind te trekken. Mijn rug deed nog steeds zeer van het harde werken. Ik grinnikte bij mezelf. Jazeker, weggeven is hard werken. Ik slofte naar mijn wandkast en pakte de foto van mijn ouders eruit. Voorzichtig zette ik het lijstje op tafel.

'Kijk dan, papa en mama,' zei ik. 'Allemaal giften. Ik geef mijn geld weg, of eigenlijk dat van jullie.'

Mijn vader is al twintig jaar geleden gestorven en mijn moeder twaalf jaar geleden. Toch praat ik nog elke dag met hen, met hun foto. Daar word ik rustig van. Maar de laatste tijd weet ik niet zo zeker of zíj wel rustig worden van wat ik doe. Zij pasten altijd heel goed op hun geld. Zij gaven nooit teveel uit en spaarden voor hun oude dag, maar toen hun oude dag gekomen was, bleven ze sparen. 'Voor later,' zeiden ze. Toen mijn moeder overleed, was er nog heel veel geld over en ik zette hun traditie voort. Ik leefde zuinig en ik spaarde. Tot die dag in de metro.

Het was warm en ik stond mezelf koelte toe te wapperen. Niet ver bij mij vandaan zat een jonge vrouw met een baby op schoot te bellen. Ik denk dat ze een vriendin aan de lijn had en ik hoorde haar vertellen dat ze zo graag een meditatiecursus wilde doen. 'Maar we hebben het geld er niet voor,' zei ze. 'In elk geval vindt Haruki het onzin. Hij zegt dat we het geld hard nodig hebben voor de baby. Voor later.'

Natuurlijk kon ik niet horen wat de vriendin antwoordde, maar de jonge vrouw keek even later zo treurig, dat ik medelijden met haar kreeg. Ik kon aan haar gezicht zien dat ze het echt graag wilde en ik moest denken aan mijn ouders, die ook hun hele leven spaarden voor later. Maar wat hadden ze gedaan toen 'later' aanbrak? Niets! Ze spaarden gewoon verder. Ze hadden nooit iets gedaan, wat ze echt graag wilden. Een verre reis of desnoods een keer uit eten in een goed restaurant. Al dat sparen voor later leek een smoes om vooral niets te hoeven uitgeven. Is geld uitgeven eng? vroeg ik me af.

Weer keek ik naar het droevige gezicht van de vrouw. Ik grabbelde in mijn binnenzak naar mijn blocnote, waar ik eigenlijk altijd alleen maar boodschappenlijstjes op maak. Korte boodschappenlijstjes, want ik leefde zuinig. Deze keer schreef ik een brief, de kortste brief die ik ooit in mijn leven had geschreven: 'Doe hiermee wat je echt graag wilt. Het is voor jou.' Ik trok vijf briefjes van 10.000 yen uit mijn portefeuille. Geloof me, mijn hand trilde toen ik ze bij mijn briefje voegde en de velletjes samenvouwde.

25

Ik zag dat de vrouw probeerde overeind te komen. Ze ging uitstappen! Ik moest snel zijn. Nu pas zag ik haar rieten schoudertas, die uitpuilde van de groenten. Toen ze mij passeerde, kon ik mijn pakketje ongezien daartussen duwen. Met mijn ogen volgde ik haar toen ze uitstapte en wegliep over het perron. Wat zou ze denken, als ze bij het uitpakken van haar tas mijn gift vond? Zou ze haar man erover vertellen? Zou ze zich meteen aanmelden voor de cursus? Ik voelde me ongelooflijk licht. Het was alsof ik zweefde. Wat was dit heerlijk! Wat was het ongekend fijn om iemand zo te verrassen.

Ja, zo was het begonnen. Het idee liet me niet los. Op een dag liep ik langs een hoog, statig gebouw. Ik zag mannen en vrouwen in nette pakken in en uit lopen. Allemaal keken ze streng en ernstig. Ik stelde me voor hoe ze boven in dat gebouw achter hun beeldschermen zaten of achter hun bureaus. Deden déze mensen wel eens iets wat ze echt graag wilden? Wísten ze nog wat ze echt graag wilden?

En op dat moment voelde ik dat ik nog een gift te geven had. Ik wilde het nog een keer meemaken: die blije, lichte, zweverigheid. Ik ging naar huis en maakte mijn tweede pakketje in orde. Deze keer koos ik een hagelwitte envelop en vulde hem met 10.000 yen. Mijn hart ging als een razende tekeer. Ik keerde terug naar het grote gebouw, ging naar binnen, negeerde de norse blikken van de receptionist en zocht het herentoilet op. Bijna plechtig liet ik mijn envelop achter de pot zakken. Straks zou een van die serieuze heren hier staan plassen en dan zou hij plotseling mijn pakje ontdekken. Grappig toch?

Weggeven bleek verslavend te zijn. Echt waar. Ik kon er niet meer mee stoppen. Nog een aantal keer bezocht ik het hoge gebouw en ook ging ik andere kantoren binnen in andere wijken van de stad. Ik liet een spoor van witte enveloppen achter. En toen ik met mijn weggeefacties niet alleen de stadskranten, maar zelfs de *Asahi Shimbun** haalde, voelde ik me helemaal gelukkig: *Yasuo, weggever.*

Weer wreef ik over de pijnlijke plek op mijn rug. Ik telde. Twintig enveloppen, dat moest toch wel genoeg zijn. Met één beweging schoof ik de hele verzameling in een tas. Ik wist precies waar ik heen wilde. Vanmorgen was ik langs een flat geslenterd; Glanz Ober stond erop. De mensen die ik naar buiten zag komen, hadden allemaal haast. Ze keken niet op of om en het leek mij geweldig om hun bijenkorf eens stil te zetten. Stel je voor dat deze drukke mensen even gevangen zouden zijn in een moment van verbazing en verwarring. Al was het maar een seconde. Al zouden ze zich maar één seconde lang afvragen wat ze nou eigenlijk graag wilden in hun leven.

Voetje voor voetje schuifelde ik over de stoep in de richting van Glanz Ober. Zodra de gevel van de flat in zicht kwam, voelde ik me steeds vrolijker worden. Mijn rugpijn leek vanzelf te verdwijnen. Bij het voorportaal bleef ik staan en ik tuurde door de glazen deur naar binnen.

* de op een na grootste
landelijke krant van Japan

27

4 Chika

Oma hing zwaar aan mijn arm. Zouden haar benen nog meer pijn doen dan anders? Ik hoefde het haar niet te vragen, want ze gaf toch geen antwoord. Ze zou me alleen maar hoofdschuddend aankijken. Oma vond dat je niet over je lichaam moest praten, zeker niet op straat.

We waren samen naar de supermarkt geweest om groenten en vis te kopen. Oma had in alle aubergines, rettichs en komkommers geknepen, aan alle kabeljauwen en inktvissen geroken en alles wat ze goedgekeurd had, laadde ik in onze mand. Nee, oma laat zich echt niet iets aansmeren wat niet vers is.

Met de zware mand aan de ene kant en oma aan de andere voelde ik me een pakezeltje. Gelukkig waren we bijna bij oma's flat. We moesten alleen nog door een smalle straat, waarin een winkeltje was met prachtig serviesgoed. In de etalage stond een blauwe gietijzeren theepot, waar oma helemaal weg van was.

'Zullen we nog even naar uw theepot kijken?' vroeg ik.

Oma lachte. 'Als hij nog niet verkocht is …'

'Waarom koopt u hem niet, oma?' vroeg ik voor de zoveelste keer. 'U vindt hem zo mooi!'

'Ik kijk er vaak naar,' zei oma. 'Dat is genoeg.'

Maar ik wist wel beter. Dit was oma's manier om te laten weten dat ze het een mooie pot vindt. Ze zou nooit zomaar zeggen dat ze die theepot graag wil hebben.

'Kom, laten we een keer naar binnen gaan,' stelde ik voor. 'Dan kunt u de pot van dichtbij bekijken.' Het leek me ook wel prettig om die zware mand even te kunnen neerzetten en mijn lamme arm los te schudden.

Oma knikte. Voorzichtig liepen we het tjokvolle winkeltje binnen. Alles stond hier torenhoog opgestapeld en dan ook nog eens heel dicht bij elkaar.

Oma boog zich voorover naar de pot en ik zag haar denken welke soorten thee ze daar allemaal uit zou willen drinken. De verkoper kwam dichterbij. 'Irasshaimaseee!'* zei hij vriendelijk.

Terwijl oma zich naar hem omdraaide, keek ik gauw op het prijskaartje. Wow: 20.000 yen! Dat was een hoop geld! Dat had oma waarschijnlijk niet. En zelf zou ik het ook niet zo gemakkelijk bij elkaar kunnen sparen.

'U heeft hier een prachtige theepot,' zei oma.

'Jazeker,' zei de verkoper. 'Heeft u gezien dat er een draak op staat?'

Natuurlijk had oma dat allang gezien. Die draak vond ze juist het mooiste van de hele pot. Nou ja, en die diepblauwe kleur. Maar oma trok een heel beleefd gezicht en antwoordde: 'Ach, nu u het zegt, een draak, ja, wat bijzonder.'

De verkoper bleef zwijgend bij zijn pot staan, waardoor oma niet langer durfde te blijven zwijmelen.

'Kom, kind,' zei ze tegen mij. 'We gaan.'

We groetten de verkoper, die inmiddels wel begrepen had dat we gekomen waren om te kijken en niet om te kopen.

'Mooi, hè,' zei oma, toen we weer buiten stonden.

Toen ik thuiskwam, vroeg mijn moeder of ik even de post uit de brievenbus wilde halen. Ik pakte het sleuteltje van de haak en liep naar beneden. Ik draaide het kastje open en vond van alles: reclamefolders, een brief van het energiebedrijf, maar ook een witte envelop zonder naam of adres erop. Vreemd, dacht ik

* *Welkom*

29

en ik bekeek de envelop van alle kanten. Hij zat niet helemaal goed dichtgeplakt en door een klein spleetje meende ik geld te zien en nog iets. Met één vinger peuterde ik achter het flapje, ik frunnikte en ... floep! Daar schoot de envelop open. Ja hoor, geld! Wel 20.000 yen!

Mijn hand trilde toen ik het eruit haalde. Was het voor mijn vader? Was het voor mijn moeder? Dan had ik dit nooit mogen openmaken. Maar er stond helemaal geen naam op! Ik wilde de envelop meteen weer dichtplakken – echt waar – maar mijn ogen gingen als vanzelf naar het briefje dat bij het geld zat. Het was in een bibberig handschrift geschreven, ongeveer zoals oma zou schrijven.

Doe alstublieft met een gul hart aan goede werken.

Hè? Gaf iemand zomaar geld weg? Om er iets goeds mee te doen? Wat een geweldig idee! Maar ik wist precies wat er zou gebeuren als ik deze envelop aan mama of papa zou geven. Die zouden het niet vertrouwen. Die zouden echt niet met een gul hart aan goede werken gaan doen. Die brachten het geld zo snel mogelijk naar de politie. Terwijl het juist zo'n goed idee was!

Ik hoorde iemand aankomen in het trappenhuis. Mama? Papa? Snel liet ik de envelop onder mijn blouse glijden. Ik vond dat ik best even de tijd mocht nemen om erover na te denken.

Al gauw hoorde ik de sloffen van buurman Tashiro op de trap, slef-slef, en even later zag ik hem in zijn ochtendjas verschijnen.

'Goedemiddag, Tashirosan,' zei ik.

Meneer Tashiro keek naar me alsof ik hem gestoord had in een diepe gedachte en gromde iets terug.

Ik deed meteen alsof ik hevig geïnteresseerd was in de kleurige reclamefolders, maar vanuit mijn ooghoeken hield ik de buurman in de gaten.

Ook meneer Tashiro maakte zijn brievenbus open. En ja hoor, precies wat ik dacht: ook hij had er zo'n envelop bij zitten. Ik zag het meteen! Meneer Tashiro bladerde door zijn post, totdat hij op de vreemde witte envelop stuitte. Hij draaide hem een paar keer om met een wantrouwende trek om zijn mond. Toen scheurde hij het ding met één vinger open. Ik zag hoe hij schrok. Bijna liet hij de envelop uit zijn handen vallen. Terwijl hij zijn best deed om zijn post weer tot een nette stapel te ordenen, flitsten zijn ogen opzij naar mij. Meteen boog ik mijn hoofd en keek weer naar de folders, maar ik had het gevoel dat de buurman wist dat hij bespied was.

Snel liep ik de trappen weer op. Wat was dit raar! Hadden we allemaal zo'n cadeautje gekregen? En waarom? En van wie? Ik hoorde meneer Tashiro achter me de trap op komen, heel snel, gejaagd bijna. Hij sloeg de deur van zijn appartement met een klap achter zich dicht.

Ik ging onze deur binnen, waar mama me al opwachtte. Snel schopte ik mijn schoenen uit en glipte in mijn slippers. 'Niet veel bijzonders,' zei ik, terwijl ik mama het stapeltje saaie brieven gaf en voordat ze iets vreemds aan mij kon merken, liep ik naar mijn kamer.

Ik zakte op mijn bed neer en bekeek het briefje nog eens wat beter. Wat kwam dat goed uit! Het leek wel afkomstig van iemand die mij kende! 'Ik zal het doen,' fluisterde ik. 'Ik weet al een goed werk. Een héél goed werk zelfs. Het is blauw gekleurd en er huppelt een draak doorheen. En ik zal het met een gul hart geven. Reken maar!'

Daarna verstopte ik de envelop onder mijn matras.

5 Linda

Mama had inmiddels al vijf verschillende berichten verzameld over gebouwen waar enveloppen waren gevonden. Ze lagen niet zo gek ver van elkaar. Afgelopen zaterdag stond er een paginagroot artikel over de mysterieuze weldoener in de *Yomiuri Shimbun*, de grootste krant van Japan. Daar had een hele opsomming bij gestaan van de gebouwen waarin nu al iets was gevonden.

Ik móést ook zo'n envelop 'vinden'. Het was de enige manier om aan een mp3-speler te komen! Daarom had ik gekozen voor een wetenschappelijke aanpak. Zo noemde ik het voor mezelf, want ik was nogal trots op mijn slimme gedachte. In mijn kamer had ik een plattegrond opgehangen en daarop hield ik met vlaggetjes bij waar de enveloppen gevonden waren. Ik begon er al een klein beetje een patroon in te zien. De gulle gever koos telkens grote gebouwen uit zoals banken en kantoren van de gemeente, allemaal in de wijk Sjinjuku. Met mijn vinger ging ik van vlaggetje naar vlaggetje op de kaart. Het leek alsof de gever de vorm van een ster aan het maken was … Vandaag of morgen zou hij vast en zeker een nieuwe punt toevoegen. Ik werd er zenuwachtig van. Misschien zat hij op dit moment alweer met een envelop in zijn zak in de metro. En ik was nog thuis!

Eén hindernis was lastig te nemen: ik moest een herentoilet zien binnen te komen (en er weer uit!) zonder dat iemand me zag. Een herentoilet! Ik trok een zwarte broek aan en daarop een zwart jasje om zoveel mogelijk op een jongen te lijken. Nu mijn haar nog. Ik draaide het in een knot, zette die goed vast en liep naar de kamer van mijn ouders. In mijn vaders kledingkast ging ik op zoek naar een pet. Hij droeg die dingen hier in Japan gelukkig nauwelijks, maar om de een of andere reden had hij ze ook niet in Nederland willen achterlaten. Nu was ik daar blij om! Ik vond een vrij walgelijk exemplaar met kleine ruitjes erop en met een megaklep aan de voorkant. Dat laatste was belangrijk natuurlijk, want aan mijn gezicht kon ik weinig veranderen. Ja, een snor erop tekenen, maar dan zag je echt meteen dat ik vermomd was. Vanonder die klep keek ik in de spiegel. Hoe jongensachtig leek ik? Dat viel nogal tegen. Ik zag gewoon mezelf met een pet op en een nepstoere blik in mijn ogen, maar dat kwam vast doordat ik het wist, hield ik mezelf voor. In deze kleren, zonder lang haar, zou ik niet opvallen in een herentoilet.

Uit de la van mijn vaders bureau pakte ik een andere stadsplattegrond en daarmee ging ik op weg.

De wijk Sjinjuku is waanzinnig groot en hoog! Het stikt er van de wolkenkrabbers en deze hier in Sjinjuku krabben ook echt aan de wolken. Als ik de bovenkant van zo'n gebouw wilde zien, moest ik mijn pet vasthouden, anders zou hij zeker van mijn hoofd rollen. Vlak buiten het grote station keek ik op mijn vaders kaart. Het station kon ik daar gemakkelijk op vinden, maar hoe stond ik? Wees mijn neus naar het noorden of naar het zuiden, en hoe vond ik dat uit? Japanse bordjes lezen lukte me nog voor geen meter: ik kende een handjevol karakters en daarmee kwam je nergens. Japans spreken of verstaan ging ook nog niet heel erg goed, maar misschien moest ik het toch proberen.

Er kwam een mevrouw aan die er aardig, maar ook nogal gehaast uitzag. Ik liet haar passeren en wachtte op een reiziger met meer tijd. Al snel begreep ik dat ik daar dan wel een halve of hele dag op zou moeten wachten. Iedereen hier had haast! Allemaal liepen ze alsof ze een trein moesten halen. Toen ik een jongeman zag aankomen, besloot ik het erop te wagen.

'Goedemiddag, meneer,' zei ik. 'Kunt u mij zeggen waar ik ben?' Ik hield de man mijn kaart voor en gebaarde. De man wierp een blik op mij. Wow, hij vond die pet misschien wel heel verdacht. Of twijfelde hij of hij met een jongen of een meisje van doen had? Toen boog hij zich over de kaart, tikte er een paar keer op, wees in de verte en zei een heleboel Japanse dingen, vlak achter elkaar. Op dat moment begreep ik dat mijn Japans inderdaad nog niet goed was; het was eigenlijk gewoon héél slecht. Ik had alleen het woord 'massugu' verstaan dat 'rechtdoor' betekent, maar intussen had hij naar alle kanten gewezen, waardoor ik nog steeds niet wist in welke richting ik 'massagu' moest.

'Domô arigatô,'*¹ zei ik toch maar, want ik wist zeker dat alles alleen maar ingewikkelder zou worden als ik de magische zin zou uitspreken, die mijn moeder mij geleerd had: 'mô ichidô, onegai shimasu.'*²

Ik besloot een gokje te wagen en onder het viaduct door te lopen naar de brede winkelstraat die daarachter leek te liggen.

Het was nogal donker onder het viaduct, maar toch zag ik dat er van alles stond en hing. Toen ik beter keek, zag ik dat er iemand woonde. Hij had zijn kleren over een soort waslijntje gehangen. Er stond een kist met een doek eroverheen en een uitgezakte tuinstoel stond ernaast. Die kist deed vast dienst als tafel.

In een hoek lag een grote, langwerpige doos met een paar afgetrapte schoenen ervoor. Er staken twee sokvoeten uit. Lag er iemand in die doos te slapen? Ik slikte. Gek genoeg zag het er allemaal juist extra zielig uit, doordat die man zijn best had gedaan om een soort huiskamer te maken. Ik liep zo snel mogelijk door, zonder om te kijken.

*¹ *heel erg bedankt*
*² *Kunt u dat herhalen alstublieft?*

35

Nu kwam ik op een brede stoep. Onderweg probeerde ik de naambordjes te ontcijferen, maar het leek wel alsof men hier weer héél andere karakters gebruikte dan bij ons op school. Plotseling zag ik iets bekends. Nou ja, ik zag letters! Doodgewone letters. Ik vloog erop af, zoals volgens mij een verdwaalde reiziger in de woestijn afgaat op een waterbron. Mizuho Financial Group. Ik slikte. Daar werkte papa! In díé bank waren al verschillende enveloppen gevonden. Verschillende! Dit was een van de punten van de ster op mijn plattegrond en de volgende punt lag twee straten hierachter. Dat zou míjn punt worden. Ik voelde het!

Hijgend stond ik even later op de hoek van de straat waar absoluut zeker mijn volgende vlaggetje geplant ging worden. Het was helaas een straat vol gebouwen: hoge, grote, prachtige gebouwen. Ik kneep mijn ogen tot spleetjes en tuurde in de verte. Ik moest me inleven in de gever. Iets verderop stond een wit gebouw dat eruitzag als een suikertaart. Misschien moest ik het daar eens proberen.

De portier was aan het telefoneren en lette niet op mij. Mijn hart bonkte toen ik zomaar de herentoiletruimte binnen stapte. Ik had geluk: er was niemand! Snel trok ik de deur van het eerste hok open en keek achter de toiletpot: niks. Het tweede hok: weer niks! Het derde hok: weer niks! Het vierde hok … De toegangsdeur piepte klagelijk. Er kwam iemand binnen! Ik schoot het vierde hok in en sloot de deur. Daar wachtte ik totdat ik dacht te horen dat de bezoeker aan het plassen was. Behoedzaam deed ik de deur op een kier en gluurde rond. Net wilde ik tevoorschijn komen, of de toegangsdeur jankte opnieuw. Ik schoot mijn hok weer in.

Er kwam nóg iemand. Tjonge, het was opeens plaspauze. Hadden ze daar soms een speciaal kwartiertje voor?

Natuurlijk had ik mijn vermomming, maar daar vertrouwde ik maar half op. Het leek me veiliger te wachten totdat iedereen weg was. Minstens tien minuten later leek de kust veilig. Net wilde ik langs de wasbakken naar buiten glippen, toen er alweer een bezoeker verscheen. Deze man ging niet een van de wc's in, maar bleef midden in de ruimte naar mij staan kijken. Opeens vroeg hij mij wat. Het klonk als: 'Wat doe jij hier?' of 'Wie ben jij?' en dan niet vriendelijk geïnteresseerd, maar meer als: 'Wie ben jij in hemelsnaam?'

'Akira,' zei ik, want dat was de eerste jongensnaam die me te binnenschoot.

Ik moest hier zo snel mogelijk vandaan en liep zonder verder iets te zeggen naar de deur. Jammer genoeg nam ik daar de draai niet goed. Ik stootte met die enorme klep van mijn pet tegen de deurpost, waardoor mijn pet bleef haken en van mijn hoofd rolde.

Ik bukte me, probeerde tegelijkertijd mijn pet mee te grissen en de deur snel achter me dicht te trekken. Dat lukte dus niet! De deur sloeg hard tegen mijn hand, wat behoorlijk pijn deed en mijn pet had ik nog steeds niet. Meteen daarop ging de deur met een ruk weer open. Daar stond de man. Hij keek naar mij, naar mijn knot, en begon geweldig te schelden. Gelukkig gooide hij wel mijn pet naar mij toe. Ik raapte het ding op en zette het op een rennen.

In de hal, achter de balie, was de portier ook opeens wakker geworden. Hij was uitgetelefoneerd en kwam al overeind. Ik sprintte naar de uitgang, sprong met twee treden tegelijk van de trap en rende over de stoep richting het station.

6 Yasuo

Zoals altijd aan het eind van de middag zocht ik mijn favoriete theetuin op. Ik had een mooi boek bij me, maar dat bleef dicht. Deze keer had ik meer zin om rond te kijken, om mensen te bespieden. Sinds ik me ontpopt heb als stiekeme gever, kijk ik anders naar de mensen. Ik vraag me dingen af over hun leven, denk over hen na zoals ik nooit tevoren heb gedaan.

Die dag gebeurde er iets bijzonders. Ik dronk mijn thee en keek naar de eenden die vlak voor mijn neus vredig in de vijver dreven.

Opeens hoorde ik achter me een mannenstem die zei: 'Die man is gek! Wie deelt er nou zomaar geld uit? Daar moet beslist iets achter zitten.'

Ik wilde me natuurlijk niet meteen omdraaien. Pas na een tijdje nam ik stukje bij beetje een andere houding aan, zodat ik over mijn schouder kon gluren en kon zien wie deze woorden gesproken had. Het bleek een oude man te zijn, die in elkaar gedoken zat en met een ontevreden gezicht voor zich uit staarde. Zo te zien, zat hij samen met zijn vrouw aan de thee.

'Maar wat zou daar dan achter moeten zitten?' vroeg de vrouw. Haar haren waren op traditionele wijze naar achteren gekapt en ze droeg een veelkleurige kimono. 'Wat heeft die weldoener eraan?'

'Dat weet je niet,' zei de man. 'Misschien volgt hij de mensen wel. Misschien wil hij de mensen chanteren.'

De vrouw lachte. 'Dat kán toch helemaal niet? Als ik zo'n envelop vond, zou ik hem houden.'

'Jij iets vinden? Met die slechte ogen van je?'

'Ik zie genoeg! En ik weet precies wat ik ermee zou doen. Ik wil al zolang eens naar een voorstelling in het grote theater. En dan wil ik op de eerste rij zitten, zodat ik alle acteurs en kostuums heel precies kan zien en de gezichten van de musici kan zien vertrekken als ze een moeilijk stuk spelen.'

'Misschien is het hele verhaal niet waar! Misschien is het een verzinsel van journalisten.'

'Nee, nee, ik hoorde vandaag iemand op de radio erover vertellen. Geen journalist. Een eerlijke vinder. Hij had een envelop gevonden in Harajuku met 30.000 yen erin.'

Ik ging iets beter rechtop zitten. Harajuku? Dat had ik vast niet goed verstaan. Harajuku was een buitenwijk van Tokio waar ík het laatste halfjaar niet geweest was!

'Pfff, dat zegt niks!' sputterde de man. 'Dat soort mensen huren ze in om kletspraat te verkopen en simpele vrouwen als jij trappen daarin. Geloof me, Kumi, sprookjes bestaan niet. En voor geld moet je werken. Geld komt niet zomaar uit de hemel vallen.'

'Jij hebt geen fantasie. Soms is het leven veel mooier dan je denkt.'

'Droom jij maar verder,' zei de man. 'Dan reken ik even af. Blijf je wel hier zitten? Niet alleen aan de wandel, hè? Dan eindig je nog tussen de eenden.'

'Ha, ha,' lachte de vrouw. 'Ik heb geen ogen nodig. Dat weet je toch? Ik heb een ingebouwd kompas.'

Wat zou ik die vrouw graag een envelop met geld geven!

Ik kon het niet laten. Ik scheurde een blaadje uit mijn agenda en schreef erop:

Doe wat leuks met dit geld!
Ga naar het grote theater en geniet!

Ik stopte er twee biljetten van 10.000 yen bij en wikkelde dit alles in een witte servet, maar toen ik opkeek zag ik dat de man er al weer aankwam. Jammer! Met hem in de buurt zou het niet lukken mijn pakketje stiekem in haar tas te schuiven. Mensen die niet in wonderen geloven, zullen ze ook nooit meemaken, dacht ik.

Terwijl ik naar huis liep, dacht ik weer aan Harajuku. Zou er soms nóg een gulle gever zijn opgestaan? Dat zou mooi zijn!

Thuisgekomen liep ik meteen door naar de keuken om groente te snijden voor het avondeten. Halverwege zette ik de televisie in de woonkamer aan. Ik was benieuwd of er vandaag nog iets bijzonders gebeurd was. Met één oor luisterde ik, terwijl ik rettichs en shiitakes in plakjes sneed. Plotseling ving ik het woord 'weldoener' op.

Ja, zo werd ik sinds kort genoemd in de krant en op de radio en de televisie: *Yasuo, weldoener.*

Ik liep met het hakmes in mijn hand naar de kamer en keek naar het scherm waarop de nieuwslezeres vol enthousiasme haar verhaal deed.

'De vraag wie hij is, wordt steeds moeilijker te beantwoorden,' zei de jonge vrouw. 'Vandaag werden opnieuw drie enveloppen met geld gevonden, maar niet in Tokio. De enveloppen lagen ook deze keer in herentoiletten, maar nu in Amagasaki, en dat is ruim 400 kilometer verwijderd van Tokio! We gaan over naar onze verslaggever in Amagasaki.'

Verbaasd staarde ik naar het scherm. Amagasaki? Daar was ik zelfs nog nooit geweest!

'Goedenavond Komitasan.'

'Goedenavond Satosan.'

'We hebben begrepen dat er nu ook enveloppen met geld gevonden zijn in Amagasaki. Hoe is dat mogelijk?'

41

'Ja Satosan, het is een raadsel. Of de weldoener kan zich bijzonder snel verplaatsen óf – en zo langzamerhand gaan we dat toch geloven – de weldoener heeft mensen in dienst. Eerst werden er alleen maar in de wijk Sjinjuku in Tokio enveloppen gevonden, daarna door de hele stad, en nu dus op een heel andere plek in het land, 400 kilometer verderop! Misschien gaat het dus niet om één enkele weldoener, maar om een hele organisatie. Vanmorgen kwam hier in Amagasaki nog een nieuwe verklaring naar voren: mogelijk heeft de weldoener 'volgelingen' gekregen. Misschien gaat het zelfs wel om een nieuwe sekte of een nieuwe religie. Vooralsnog menen de autoriteiten dat de tijd nog niet gekomen is om stappen te ondernemen en de zaak verder uit te zoeken, maar ik kan je wel vertellen dat de ontwikkelingen nauwlettend gevolgd worden. Het blijft tenslotte een vreemde zaak. De vragen die ons allen hier bezighouden zijn: wie is de weldoener óf voorganger óf goeroe, wie zijn zijn helpers of volgelingen en steekt er een plan achter dit alles? Wat wil de weldoener bereiken? Voorlopig dus meer vragen dan antwoorden, Satosan. Tot zover de berichtgeving vanuit Amagasaki.'

'Dank u wel, Komitasan vanuit Amagasaki.'

Ik voelde me lichter en lichter worden. Natuurlijk moest ik ook wel een beetje grinniken om het idee dat ik plotseling van weldoener gepromoveerd was tot goeroe, maar nu was het wel duidelijk: mensen op verschillende plaatsen in het land volgden mijn voorbeeld! Ik had in mijn eentje een geld-geef-golf op gang gebracht. En toen dat echt tot me doordrong, begon ik door de kamer te dansen van plezier.

Had ik dat maar nooit gedaan!

Ik was zo door het dolle heen, dat ik totaal niet oplette wat ik deed. Ik struikelde over een krukje, dat midden in de kamer stond. Het krukje rolde voor me uit en terwijl ik met mijn armen

42

maaide om mijn evenwicht terug te vinden, wist ik al dat dit niet goed ging aflopen. Het grote mes liet ik uit mijn hand vallen, maar toch kon ik niet bijtijds mijn armen uitsteken. Ik kwam op het krukje terecht met mijn elleboog en met mijn schouder. Meteen verging ik van de pijn. Een tijdje bleef ik op de grond liggen kermen. Het werd zwart voor mijn ogen en ik denk dat ik zelfs even ben flauwgevallen. Ik begreep dat ik me naar mijn telefoontoestel moest slepen, hoe dan ook, en hoewel dat vreselijk veel pijn deed, slaagde ik daar uiteindelijk toch in. Ik draaide het alarmnummer. Gelukkig kreeg ik meteen iemand aan de lijn en ik vertelde wat er gebeurd was.

Niet veel later reed er een ambulance voor. Mijn buurvrouw, die een sleutel van mijn huis heeft, maakte de deur open voor de verpleegkundigen.

'Ik dacht dat hij gevallen was,' hoorde ik een van hen zeggen.

'Maar hij is overvallen! Kijk dat mes!'

'Nee,' kreunde ik. 'Dat mes was voor de shiitakes.'

'Ik denk dat hij niet erg helder meer is,' zei dezelfde verpleger. 'De arme man slaat wartaal uit.'

En daar liet ik het maar bij.

In het ziekenhuis werd ik liefdevol opgevangen. Mijn arm bleek op twee plaatsen gebroken te zijn en ik had een flinke hoofdwond. Merkwaardig genoeg had ik dat nauwelijks gevoeld. Al gauw lag ik als een halve sneeuwpop in bed met een witte arm en een wit verband om mijn hoofd. Aan de bedrand was een kaart bevestigd, waarop stond wie ik was.

'Yasuo Suzuki,' las ik hardop. En meteen daarna riep ik: 'Au!'

De verpleegkundige begon te lachen en gaf me eerst een rode pil die mijn pijn moest verminderen en daarna een kom rijst, een schaaltje vis, een kommetje misôsoep, een bakje salade en een bakje fruit. Heerlijk! Ik wist niet eens dat ik zo'n honger had.

Het was een jonge vrouw van een jaar of dertig. Ze kwam gezellig bij mijn bed zitten en keek toe hoe ik at.

'U lijkt op mijn oma,' zei ze, terwijl ze me met haar hoofd een beetje schuin aankeek.

'Oma?' herhaalde ik, verontwaardigd. Ik was dan wel een oude, verfrommelde man aan het worden, met slappe wangetjes, maar ik was nog wel een mán.

De verpleegster kreeg een blos op haar wangen. 'Het is de manier waarop u geniet van het eten,' zei ze en vlug vroeg ze daar achteraan: 'Hoe kwam het eigenlijk dat u struikelde?'

'Ik danste door de kamer,' zei ik.

'Had u goede muziek opstaan? Of was er iets te vieren?'

'Het laatste.' Hoe aardig ze ook was, ik kon haar onmogelijk vertellen wat er echt aan de hand was. Ik zou meteen een leger journalisten aan mijn bed krijgen. 'Een geheimpje,' zei ik dus maar.

7 Chika

Toen ik vrijdagmiddag om zes uur uit school kwam, stond buurman Tashiro op de stoep voor onze flat met een groot kartonnen bord in zijn handen. Ik wilde hem al groeten, toen ik ook buurvrouw Taira naar buiten zag komen. Dat was raar! Buurman Tashiro sprak zelden of nooit met andere bewoners en nu sprák hij niet alleen met een buurvrouw, hij was zelfs een klusje met haar aan het opknappen. Nieuwsgierig bleef ik staan, half verscholen achter een reclamezuil.

'We kunnen het beter aan de binnenkant plaatsen,' hoorde ik buurvrouw Taira zeggen. 'Tegen het raam.'

'Zouden ze dat wel zien?' vroeg buurman Tashiro.

'Jazeker. En dan kan het ook niet natregenen of wegwaaien.'

Nu pas kon ik zien wat er met koeienletters op het plakkaat stond dat de buurman vasthad:

AL HET GELD IS TERUGGEGEVEN AAN DE POLITIE!
VALT U ONS VERDER NIET LASTIG!

Er kwam nog een buurvrouw aanlopen, een klein vrouwtje dat vaak in kimono liep en meestal niet op of om keek. Ik had

45

altijd gedacht dat ze geen stem had, want ik had haar nog nooit horen praten. Maar nu bleek dat ze er wel degelijk een had. Een keiharde zelfs! 'Wat goed dat jullie dat doen!'

'Ja, dit moet hen toch wel afschrikken, denkt u niet?' vroeg buurvrouw Taira aan haar.

'O, o, dat ons dit nou juist moet treffen,' zei buurvrouw Scheepstoeter. 'Ik heb het hele zaakje subiet naar de politie gebracht! Subiet!'

'Bent u ook al lastiggevallen door journalisten?' vroeg buurman Tashiro.

'Nee!'

'Dan heeft u geluk gehad. Die lui zijn zo opdringerig. En ze begrijpen niks. Ik zei: "Verplaatst u zich eens in ons!"' Buurman Tashiro leek wel een acteur, zoals hij zichzelf nadeed! 'Ik zei: "Zou ú niet doodsbang worden als u zomaar een anonieme envelop met geld zou krijgen? We zijn heel erg ongerust en bang, logisch toch?" En ik heb gezegd dat ze weg moesten gaan!' Hierbij keek hij heel triomfantelijk. 'Maar die buitenlandse journalisten snappen niks!'

'Hoe weet u eigenlijk zo zeker dat het echte journalisten waren?' vroeg buurvrouw Scheepstoeter op samenzweerderige toon. 'Misschien waren het de daders wel!'

'Hoe bedoelt u, de daders?' vroeg buurman Tashiro onthutst.

'Wie weet waar dit geld vandaan komt? Straks is het van een overval!'

'Of van een criminele drugsbende!' riep buurvrouw Taira.

'Misschien gebruiken ze ons om van hun geld af te komen!'

'Zou u denken?' vroeg buurman Tashiro.

'Waarom krijgen we anders zomaar geld? Van wie? Dit klopt toch niet!'

'Misschien willen ze iets van ons gedaan krijgen. Dat we loopjongens voor hen worden, bijvoorbeeld.'

Opeens kreeg buurvrouw Taira mij in het oog.

'Goedemiddag,' zei ik, alsof ik net aan kwam lopen.

Drie paar angstige ogen keken me aan.

'Ga jij maar vlug naar binnen, kind,' zei buurvrouw Taira.

'Hier ben jij nog te jong voor.'

Ik liep snel door. Jammer, ik had wel willen horen wat ze nog meer te vertellen hadden. Ha ha, een criminele drugsbende! Wat een onzin! Dit geld kwam natuurlijk van dezelfde weldoener die al die enveloppen had achtergelaten in herentoiletten. De kranten stonden er vol van. Het leek wel alsof de bewoners van ons appartementenblok liever dreigbrieven in hun bus hadden gehad!

Mijn moeder stond me op te wachten en ze was net zo zenuwachtig als het groepje dat ik beneden had gezien.

'Er waren journalisten aan de deur,' begon ze. 'Het ging over dat geld. Je hebt er zeker wel van gehoord?'

'Ja,' zei ik met een onschuldig gezicht. 'Sommige mensen uit onze flat hebben geld gekregen in een envelop, geloof ik.'

'Sommige?' vroeg mijn moeder. 'Bijna iedereen! Maar wij gelukkig niet! Ik zou geen oog meer dichtdoen.'

'Wat heb je gezegd tegen die journalisten?' vroeg ik.

'Dat wij niets ontvangen hebben. En dat ik geen idee heb wie dit allemaal heeft gedaan. Toen heb ik opgehangen.'

'Heb je ze alleen maar door de intercom gesproken?' vroeg ik teleurgesteld. Ik hoopte minstens op een foto van mijn moeder in de krant. 'Dus je hebt ze niet gezíen?'

'Ben je mal? Ik open mijn deur niet voor vreemden! Waar bemoeien ze zich mee? Journalisten zijn net kraaien, altijd nieuwsgierig.'

Eén ding was fijn: ik hoefde me niet meer schuldig te voelen. Mijn moeder zou het geld, net als buurvrouw Scheepstoeter, subiet naar de politie gebracht hebben. En dat zou toch zonde geweest zijn. Nee, dan was een theepot voor oma een veel beter idee. Maar hoe langer ik daarover nadacht, hoe meer ik begon te twijfelen. Als alle volwassenen hier in de flat het geld meteen naar de politie brachten, hoe zou dat dan met oma gaan? Zou oma wel een theepot willen, die gekocht was met anoniem gekregen geld?

Die nacht droomde ik over de blauwe draak. Hij zat me achterna door de grote winkelstraat, vlak achter het station. Ik holde voor hem uit met de theepot in mijn handen. Daar was hij op de een of andere manier vanaf gesprongen. De draak spuwde vuur. Ik hoorde zijn vreselijke gebrul weergalmen tussen de gebouwen en ik voelde de vlammen branden in mijn nek.

Halverwege de straat, op de brede trappen voor een bankgebouw of zoiets, zat het kleine buurvrouwtje in kimono. 'Je moet die pot subiet naar de politie brengen!' riep ze. 'Anders krijgen die criminelen je te pakken.'

Ik had geen tijd om na te denken over haar woorden. Bovendien was ik bijna bij het flatgebouw van oma. Ik zag haar al buiten op de stoep staan. Het volgende moment had ze tranen in haar ogen. 'Oh!' riep ze, 'heb je die mooie pot voor mij?' En ze strekte haar armen uit naar mij en naar de theepot in mijn handen.

Opnieuw voelde ik hoe het vuur van de draak mijn nekharen schroeide. Ik probeerde nog harder te rennen, maar het leek wel alsof ik vastgeplakt zat aan de tegels, alsof ik stroop onder mijn zolen had en beng ... daar struikelde ik. De theepot vloog uit mijn handen. Oma probeerde hem te vangen, maar de gladde pot gleed tussen haar handen door. Met een knal viel hij op straat en ik zag meteen dat er een enorme deuk in zat. Op dat moment schrok ik wakker.

Wat een droom! Wat vertelde die droom mij? Moest ik nou

wel of niet die theepot kopen? Wat betekende die draak die mij achtervolgde? En het vallen van de pot? Waren dat misschien waarschuwingen? Of moest ik juist letten op de blije tranen van oma en stond die draak alleen maar voor een hindernis? Moest ik soms iets overwinnen of ontwijken om bij de mooie pot te komen?

8 Kenshin

Die ochtend werd ik blij wakker. Zaterdag! Ik zat meteen rechtop en keek op mijn wekker. Het was nog belachelijk vroeg; te vroeg om naar de winkel te gaan en inkopen te doen. Ik trommelde met twee handen op de dekens. Dit zou een superdag worden! Ik zou de lekkerste dingen gaan kopen bij Popura, dan alles goed verstoppen bij Linda thuis en wachten tot het drie uur was. Partytime!!

Mijn vader en moeder zouden niets merken. Mijn vader had een belangrijke bespreking met een zakenpartner en mijn moeder zou naar een vriendinnenlunch gaan en die duren altijd tot vér in de middag.

Misschien was het een goed idee als ik eerst een boodschappenlijstje maakte. Ik pakte een kladblok en een pen en schreef*:

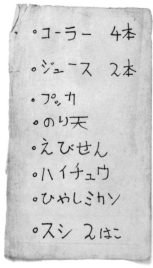

- コーラー　4本
- ジュース　2本
- プッカ
- のり天
- えびせん
- ハイチュウ
- ひやしミカン
- スシ　2はこ

Daarna kroop ik nog even terug in bed, totdat het tijd was voor het ontbijt. Eigenlijk was ik veel te ongedurig om rustig met mijn vader en moeder te kunnen ontbijten, maar ik moest wel. Ze mochten absoluut niets in de gaten krijgen.

Om half elf kwam ik bij Popura aan. Het was er al behoorlijk druk. Ik reed met mijn karretje naar de frisdranken om cola te scoren. Onderweg checkte ik met één oog al het lekkers in de schappen. Met het andere hield ik de winkelende mensen in de gaten. Er liep hier toch niet toevallig een collega van mijn vader? Of een vriendin van mijn moeder, bijvoorbeeld om inkopen te doen voor die lunch? Die zouden de inhoud van mijn karretje echt niet vertrouwen. Ze zouden ter plekke hun mobiel pakken en alarm slaan.

Het ging goed. Zonder iemand gezien te hebben, kwam ik de winkel weer uit. Ik hing de tassen aan het stuur van mijn fiets en stapte op. Nu nog fietsen zonder te slingeren. Eerst voelde ik me een soort acrobaat, maar na een tijdje vond ik uit hoe het moest. Ik concentreerde me op een punt in de verte en trapte stevig door. Vaart maken was belangrijk!

Ik naderde een kruispunt en opeens … dook er een meisje op. Ze leek uit het niets tevoorschijn te komen en stak zomaar over. 'Kijk uit!' riep ik en ik hoopte dat ze terug zou springen op de stoep, maar het leek wel alsof ze slaapwandelde. Ze hield haar pas in, waardoor ze juist recht voor mij op straat bleef staan. Ik probeerde nog te remmen, maar een volgeladen fiets gaat graag rechtdoor. Ze wilde me nog tegenhouden met haar handen, maar bats! daar vloog ik tegen haar op. De fiets schoot onder me weg, de spullen rolden uit mijn tassen alle kanten op. Ik schaafde mijn knie en mijn rechterhand, maar ik stond al snel weer overeind.

* 4 flessen cola, 2 pakken sap, pu-ka, noki-ten, ebi-sen, haitju, bevroren mandarijnen, 2 pakketten sushi

51

Het meisje lag op straat. Ik schrok. Had ik haar hard geraakt? Ik liep naar haar toe en knielde naast haar neer. Ze had haar ogen gesloten, maar haar lippen bewogen.

'Blauwe draak,' mompelde ze, en iets over ontwijken. Ja, dat had ze moeten doen. Ze had mij moeten ontwijken of ik haar, maar we waren op elkaar af gedenderd.

Er kwamen mensen om ons heen staan. Ze vertelden elkaar wat ze gezien hadden en hoe hard de klap was geweest. Iemand begon luidruchtig te telefoneren en vroeg om een ambulance. Een man stelde het meisje allerlei vragen: hoe ze heette en hoe oud ze was.

'Chika,' antwoordde ze en 'elf jaar,' maar het klonk alsof het van heel ver kwam.

Het duurde niet lang of er kwam inderdaad een ambulance aan. Twee verpleegkundigen drongen met een brancard de kring binnen. Een van hen knielde bij het meisje neer, vroeg haar het een en ander en bewoog haar armen en benen op en neer. Haar linkerbeen deed pijn, dat was wel duidelijk. De ander vroeg wie hem kon vertellen wat er gebeurd was. Een paar mensen wezen naar mij. Ik vertelde alles en daarop vroeg de verpleegkundige of ik ergens pijn had. Ik liet mijn schaafwonden zien, maar zei meteen dat het niets was.

De verplegers tilden het meisje heel voorzichtig op de brancard en reden haar naar de ambulance.

Inmiddels was ook de politie gearriveerd. De agenten kwamen meteen op mij af. Opnieuw deed ik mijn verhaal en deze keer werd alles keurig genoteerd. Koortsachtig probeerde ik te bedenken of er nog een manier was om de boodschappen buiten het verslag te houden. Als mijn ouders zouden horen wat ik allemaal vervoerde op de fiets, kon ik naar mijn feestje fluiten en ik zou ontzettend op mijn kop krijgen. De agenten bekeken mijn tassen en schudden hun hoofden.

'Hoe kun je daarmee ook fietsen?' vroeg degene die alles opschreef. 'Heeft je moeder je gevraagd om zoveel tegelijk te kopen?'

'Nee, meneer,' zei ik. 'Ik ga het naar een vriendin brengen.'

'Naar een vriendin? Heeft háár moeder je dan gevraagd om dit voor haar te kopen?'

'Nee, meneer. Het is ...' Tja, hier kon ik me met geen mogelijkheid meer uit redden, dus vertelde ik de waarheid.

'Je hoort nog van ons, jongeman,' zei de agent, terwijl hij zijn pen wegborg. 'En je zult verder moeten lopen.'

Ik ging naar mijn eigen huis. Het had nu totaal geen zin meer om alles naar Linda te brengen. De weggerolde spullen had ik zo goed mogelijk weer teruggepropt in de tas, maar ik kon de hele zaak evengoed hier ergens op de stoep zetten. Mijn feestje kon toch niet meer doorgaan. Mijn ouders zouden het naadje van de kous willen weten. Bah! Opeens werd ik toch ook wel kwaad op dat meisje, die Chika. Waarom had zij niet beter uitgekeken? Waarom was ze zo ongeveer met haar ogen dicht de weg op gelopen?

Thuis belde ik meteen Linda en de rest van de ochtend en het begin van de middag zat ik nagelbijtend op de bank. Ik was benieuwd wie het eerst bericht zou ontvangen: mijn vader of mijn moeder. Het bleek mijn vader te zijn. Om een uur of twee stapte hij briesend de kamer binnen. Wijdbeens bleef hij voor me staan en keek op mij neer. Ik voelde mezelf krimpen.

'Oké,' zei hij. 'We beginnen bij het begin. Hoe kwam jij aan geld om zo veel boodschappen te doen?'

Ik vertelde alles eerlijk. Bij het verhaal over mijn toiletvondst, werden de ogen van mijn vader groot. Op de een of andere manier leek hij het allemaal nóg erger te vinden omdat ik dat geld in zíjn kantoor gevonden had. Alsof die envelop een foutje van Mizuho was.

'Gevonden,' herhaalde hij langzaam. 'Op de wc? Ja, ik heb gehoord dat er een of andere dwaas is, die dat soort cadeautjes uitdeelt, maar daarom hoef jij dat geld nog niet te houden! Je snapt toch zeker zelf ook wel dat je dat onmiddellijk naar de politie moet brengen! Punt één: het is niet van jou! Punt twee: er zit natuurlijk iets achter! Wie geeft er nou zomaar geld weg? Denk na, zoon!'

'Ja, papa,' zei ik.

'En wat was je met die boodschappen van plan?'

Nu kwam het moeilijkste stukje. Een feestje vond mijn vader pas écht onzin. Pure geldverspilling. Toen ik het opgebiecht had, gaf hij niet eens antwoord.

'Waar zijn die tassen?' vroeg hij alleen maar.

'In de keuken,' zei ik.

Mijn vader liep erheen en ik holde achter hem aan. Hij pakte de tassen en kieperde de inhoud in de vuilnisbak.

'Een stiekem feestje,' siste hij. 'Wat moeten de andere ouders wel niet denken? Dat ik mijn zoon zó opvoed? Dat het geld hier maar over de balk wordt gesmeten? Je gooit mijn goede naam te grabbel!'

Ik boog mijn hoofd.

'Jij gaat nú een cadeautje kopen voor dat meisje,' ging hij verder, 'van je eigen geld. We gaan haar morgenmiddag samen bezoeken in het ziekenhuis en je gaat je excuses aanbieden.'

'Ik weet niet waar ze ligt,' sputterde ik.

'Daar komen we wel achter,' zei hij. 'Dat arme kind. Heb jij je al één seconde afgevraagd hoe het met haar gaat?'

Maar ze stak zomaar over, wilde ik zeggen. Het was net zo goed háár fout! Maar ik zweeg, want ik wist dat het geen enkele zin had om mijn vader tegen te spreken.

9   Chika

Ik werd wakker en dacht dat er een breinaald door mijn hoofd gestoken was. Bij mijn ene oor erin en bij het andere er weer uit. Door mijn oogharen heen zag ik dat alles om mij heen wit was. Waar was ik? Ik hoorde vreemde geluiden, gekletter van borden en kopjes, mensen die heen en weer liepen en dingen tegen elkaar riepen. Droomde ik? Ik deed mijn best om mijn ogen wijder open te krijgen, maar het leek alsof ze vastgeplakt zaten. Ik maaide met mijn armen en opeens voelde ik een hand om mijn pols.

'Rustig maar,' zei iemand. Mijn moeder? Was ik toch thuis?

'Je ligt in het ziekenhuis,' zei ze. 'Je bent omver gereden door een roekeloze jongen. Heb je ergens pijn, kindje?'

Ergens? In mijn hoofd zat die breinaald, mijn arm leek van lood en mijn ene been hoefde ik maar even te bewegen om te weten dat mijn spieren veranderd waren in branderige kabels. O, en mijn ribben. Ik kon nauwelijks normaal ademhalen.

'Mag die naald uit mijn hoofd?' vroeg ik. Het klonk heel zielig, maar zo voelde ik me ook.

'We moeten een pijnstiller vragen,' hoorde ik nu iemand anders zeggen. Oma! Oe, voorzichtig! Ik mocht hier absoluut niet blij zijn. Niet overeind komen, niet bewegen.

Niet veel later pakte iemand mijn arm. 'Even de tanden op elkaar,' hoorde ik. 'Je krijgt een prik.' Er brandde iets in mijn bovenarm. 'Over een paar minuten ga je het merken.'

Ik geloofde er niks van. Om deze pijn te verjagen had je minstens zes prikken nodig. Maar tot mijn verbazing had de vrouw gelijk. Niet veel later kroop er een gloed door mijn

55

lichaam die alle zere plekken leek weg te werken.

Eindelijk had ik de moed mijn ogen te openen. Ja hoor, links zat mama met grote, ongeruste ogen en rechts zat oma, ook al met grote, ongeruste ogen. Ik schoot bijna in de lach, maar ik hield mezelf nog net op tijd tegen.

'Omver gereden?' vroeg ik.

'Ja,' zei oma. Haar gezicht betrok. 'Zo'n jonge knul, die veel te veel haast had en zich totaal niets van andere mensen aantrekt. Dat zijn ouders hem niet beter opvoeden!'

'Nou, zeker!' zei mama. 'Het is maar goed dat hij niet op een brommer reed, want wat er dan allemaal gebeurd was!'

'O ja!' riep oma uit. 'Dan had je nog veel meer gebroken!'

'Wat heb ik dan gebroken?' vroeg ik.

Oma trok het laken weg. Mijn arm zat in het gips, maar verder kon ik niets wits ontdekken. Mama stroopte mijn nachthemd op. Wie had me dat aangetrokken? En wanneer? Ik schrok nog het meest van de blikken van mijn oma en mijn moeder, die vol afschuw op mijn benen gericht waren en toen op mij.

'Je benen zijn niet gebroken,' verklaarde mijn oma, 'maar dat scheelde niet veel, dat zie je wel!'

Ik keek naar mijn knieën en scheenbenen, die pimpelpaars en blauwgroen waren. Oma had gelijk. Bijna voelde ik de pijn weer terugkomen.

'Het was een harde botsing,' zei ik maar.

'Dat was het zeker!' riep mijn moeder uit. 'En je weet er niks meer van, hè?'

'Dat heb je met een hersenschudding,' zei mijn oma. 'Zoiets slaat een gat in je geheugen. Soms wel van een paar dagen! En soms komt dat nooit meer terug.'

Ja, mijn oma weet je wel moed in te praten.

'Maar verder herinner je je alles nog, toch?' voegde ze er snel aan toe. 'Hoe oud ben je?'

'Elf jaar,' zei ik en op datzelfde moment schoot me te binnen dat iemand me dezelfde vraag gesteld had, héél lang geleden.

'Ambulance,' zei ik.

'Het komt terug!' riep mijn moeder.

'Gelukkig maar,' zwijmelde mijn oma.

'Ontwijken,' mompelde ik.

Mijn moeder en mijn oma knikten langzaam.

'De blauwe draak.'

Hun blikken werden weer iets bezorgder. Ze hadden natuurlijk geen idee waar ik het over had.

Plotseling voelde ik me heel ongerust. Waar was mijn envelop met 20.000 yen erin? Die had ik toch in mijn hand, toen ik overstak? En in de ambulance dan? Had iemand het geld soms weggenomen? Wat was dat voor gezicht dat me plotseling voor ogen zweefde? Het gezicht van een oude man met een wit verband om zijn hoofd. Had hij écht in de gang van het ziekenhuis gestaan, toen ze me daar naar binnen rolden? Of had ik dat gedroomd? In mijn herinnering stond hij tegen de muur gedrukt om ons te laten passeren, maar hij kéék zo. Keek hij naar mij? Of naar iets anders? Onrustig bewoog ik mijn benen. Au! Dat moest ik dus niet doen.

'Einde bezoektijd!' Er stond een verpleegster in de deuropening. Met haar handen omklemde ze de deurpost, terwijl ze streng naar mijn moeder en mijn oma keek.

'Ook voor ons?' probeerde mijn moeder.

'Ook voor u!'

Mama en oma stonden op, met beledigde gezichten, alsof iemand heel gemeen tegen hen was geweest. 'Dag lieverd, we komen snel terug.'

We kusten en zwaaiden. Straks, als die verpleegster weer kwam, zou ik naar mijn envelop vragen. Maar meteen daarna moet ik in een diepe slaap gevallen zijn ...

10 Yasuo

 Wat ben ik geschrokken! Stiekem was ik in het ziekenhuis naar de wc geslopen. Dat mocht niet. Dat mocht zelfs absolúút niet, maar ik houd er niet van om op bed te moeten plassen in zo'n rare fles. Dus toen ik dacht dat de kust veilig was, glipte ik voorzichtig mijn bed uit. Mijn hoofd bonkte wel, maar ik dacht dat het wel zou lukken als ik voetje voor voetje zou schuifelen. Ik was er bijna, toen er opeens een hele optocht door de gang aan kwam zetten. Er werd een meisje binnengereden op een brancard. Dat arme kind moet behoorlijk veel pijn gehad hebben, want ik hoorde haar zachtjes kreunen. Ik drukte me zo goed mogelijk tegen de muur in de hoop daar onzichtbaar te zijn. Tot ik opeens iets wits zag liggen op de brancard. Iets wits dat me bekend voorkwam! Natuurlijk, er bestaan veel witte enveloppen op de wereld, maar toch meende ik er één van mezelf te herkennen. Hij was onder de arm van het meisje gestoken. Had ze die envelop in haar hand gehad toen ze een ongeluk kreeg? Was míjn envelop soms de oorzaak van haar ellende? Hier wilde ik meer van weten. Ik keek de brancard na en zag dat hij een kamer in gereden werd aan het einde van de gang, aan de linkerkant. Daar zou ik vandaag of morgen wel eens even langsgaan ...

'Meneer Suzuki!'

Ai, nu was ik ook nog betrapt.

'Gaat u eens vlug terug naar bed! Ik kom zo bij u mét de fles.'

Het was de aardige verpleegster die vond dat ik op haar oma leek, maar nu keek ze allesbehalve aardig.

'Ja, juf,' mompelde ik zacht en ik schuifelde terug naar mijn kamer.

Pas de volgende dag durfde ik weer op excursie te gaan. Deze keer had ik een pet opgezet, zodat niet iedereen onmiddellijk mijn verband zou zien. Ik wandelde behoedzaam naar de kamer waar het meisje was binnengebracht. Voorzichtig gluurde ik om een hoekje. Het meisje lag in bed met haar ogen dicht. Oei, ze zag wel heel bleek. Sliep ze? Dan wilde ik haar niet wakker maken. Maar het was alsof ze mijn aanwezigheid voelde. Opeens sloeg ze haar ogen op en staarde mij aan.

'U?' vroeg ze met grote, verschrikte ogen.

Kende ze mij? 'Ja, ik ben het,' antwoordde ik.

'Ik dacht dat ik u gedroomd had.'

Ik begon te lachen. 'Nee hoor, ik ben echt. Niet meer helemaal heel, maar dat ben jij ook niet, zie ik.'

Nu lachte zij ook, maar al gauw werd ze weer serieuzer. 'Ik dacht ...' begon ze. 'Toen ik het ziekenhuis in kwam, had ik ...'

Ze keek me strak aan, zonder haar zin verder af te maken.

'Een witte envelop?' vroeg ik.

'Ja!' Ze schoot iets omhoog. 'Au!'

'Niet te wild, meisje,' zei ik. 'Je ligt hier niet voor niets. Ik heb je zien binnenkomen op een brancard. Die witte envelop lag onder je arm.'

'Maar waar is hij nu?' Ze keek mij aan, bijna boos, alsof ik er alles van af wist.

Ik schudde mijn hoofd. 'Dat weet ik niet. Heb je al in je kastje gezocht?'

'Ik kan me niet bewegen,' zei ze zielig.

Ik liep om haar bed heen. 'Mag ik zoeken?'

'Ja,' zei ze. 'Graag.'

Ik hoefde maar één laatje open te trekken. Daar lag haar envelop. Míjn envelop, die nu van haar was. 'Niets aan de hand,' zei ik. 'Hij is veilig opgeborgen.'

'Maar zit er nog wel ...?'

59

Nu wist ik zeker dat hij van mij afkomstig was. 'Kijken?' vroeg ik. Ik keek haar een beetje spottend aan.

'Graag,' zuchtte ze.

Ik maakte de flap los en keek. 'Zo, 20.000 yen. Was dat de bedoeling?'

Ze knikte.

'Veel geld voor een meisje van eh ... Hoe oud ben je eigenlijk?'

'Elf jaar,' zei ze. 'En ik heet Chika.' Ze bekeek me nu al een stuk vriendelijker.

'Ik heet Yasuo,' zei ik, terwijl ik een hand naar haar uitstak. 'Die envelop is zeker geheim?'

Chika kreeg een kleur. 'Ik weet niet of u gehoord hebt van die weldoener?' begon ze.

'Die man of vrouw die geld achterlaat in herentoiletten en zo?' vroeg ik onschuldig.

'Ja, precies. In onze flat kregen we allemaal zo'n envelop. Ik haalde hem uit de brievenbus en ik heb hem zelf gehouden. Mijn vader en moeder zouden dat geld subiet naar de politie hebben gebracht, maar ik ... ga er iets goeds mee doen.'

'Wat dan wel?' vroeg ik, terwijl ik voelde hoe er een brede glimlach op mijn gezicht groeide.

'Ik wil een theepot kopen voor mijn oma,' zei Chika op samenzweerderige toon. 'Die wil ze al heel lang hebben, maar ze heeft er geen geld voor.'

'Een prima plan,' zei ik enthousiast. 'Was je soms op weg naar de theepottenwinkel toen je ...'

Op dat moment ging de deur van haar kamer open. Er kwam een man binnen met een nors gezicht, die een jongen voor zich uit duwde. 'Loop es door,' bromde hij. 'Gisteren was je ook dapper, dus dat mag je nu ook zijn.'

'Hé, jij bent de fietser!' riep Chika uit.

'Het spijt me heel erg,' zei de jongen zacht.

60

'Stel je eerst eens netjes voor,' baste de vader. 'Eerst aan die meneer.'

'Goedendag meneer, ik ben Kenshin,' zei de jongen met een buiginkje.

'En ik ben Yasuo,' zei ik vrolijk.

Hij draaide zich nu naar Chika. De vader en ik bogen beleefd naar elkaar.

De jongen stond een beetje bedremmeld naar de vloer te staren. Chika bekeek hem met een klein lachje.

'Nou vooruit, je hebt iets voor dat meisje meegebracht,' bromde zijn vader.

'Alsjeblieft,' zei Kenshin, terwijl hij Chika heel beleefd met beide handen een klein, rood pakketje gaf. 'Tsumaranai mono desu ga ...* Ik hoop dat je dit wilt aannemen en ook mijn excuus omdat ik je per ongeluk omvergereden heb.'

'Dank je wel,' zei Chika, die al net zo beleefd het pakketje aannam met haar beide handen. Dat was nog niet zo makkelijk met dat gips.

Ik legde het cadeautje voor haar op het nachtkastje.

Inmiddels staarde Kenshin met grote ogen naar de witte envelop, die open en bloot op datzelfde kastje lag. Het leek wel alsof hij wist wat erin zat!

'Eigenlijk had ik jou een cadeautje moeten geven,' zei Chika, 'want het was mijn fout. Ik liep te dromen. Ik keek helemaal niet uit.'

Even keek de jongen naar zijn vader.

'Maar als híj hier zijn tassen niet zo vol belachelijke boodschappen had gehad, was het nooit gebeurd,' zei de vader streng. 'Hij had daar helemaal niet moeten fietsen.'

'Nee?' vroeg ik verbaasd. 'Het is toch goed om boodschappen te doen?'

* *Het is eigenlijk niets, maar toch ...*

'Ja, maar niet allemaal snoepgoed! Voor een geheim partijtje nog wel!'

'Dus je trakteerde?' vroeg ik aan Kenshin.

De vader van Kenshin keek me verstoord aan.

'Ja,' zei Kenshin verlegen.

'Van je eigen zakgeld?'

'Welnee,' onderbrak de vader van Kenshin ons. 'Hij had geld gevonden. U heeft ongetwijfeld ook in de kranten gelezen over die dwaas die allemaal geld achterlaat in wc-ruimtes?'

'Jazeker,' zei ik. Het kostte me moeite om niet weer breeduit te lachen. Die vader keek zo boos!

'Nu kunt u zien waar dat toe leidt.' Hij wees naar Chika in het grote, witte bed.

Chika was wat rechter gaan zitten. Met ongelovige ogen staarde ze naar Kenshin. 'Dus jij had ook een envelop gekregen, net als ik?'

Kenshin lachte, maar zijn vader blafte ertussendoor: 'Gekregen? In wat voor wereld leven we? Worden kinderen tegenwoordig niet meer opgevoed? Jullie hebben geld gevónden. Dat is nog wel even iets anders dan kríjgen! Gevonden spullen hoor je onmiddellijk naar de politie te brengen.'

'Subiet,' mompelde Chika.

'Maar als ik het goed begrepen heb, zaten er briefjes bij met allerhande aansporingen?' vroeg ik.

'Briefjes!' De vader spuugde het woord bijna uit. 'Ja, over goed doen voor anderen en dat soort onzin. Wie weet wat erachter steekt! Mensen moeten zich daar niet door laten misleiden. Wat je vindt, breng je naar de politie. Klaar uit. Zó probeer ik mijn zoon op te voeden.'

'Wacht even, wat zei u daar? Goed doen voor anderen en dat soort onzin?'

De vader keek betrapt. 'Ach nee, ik zou zeker niet willen

beweren, dat … goed doen … ik bedoel …'
Het was duidelijk dat hij mij niet tegen durfde te spreken. Ik was misschien wel twee keer zo oud als hij!

'Deze jonge mensen hier hebben het juist heel goed begrepen. Zij, Chika, was juist op weg om iets moois voor haar oma te kopen. Hij, Kenshin, wilde zijn vrienden trakteren. Prima toch? Ze tonen dat ze een goed hart hebben.'

'Ik … Ja, maar …'

Even zag ik iets glimmen in Kenshins ogen. Ik wed dat hij zijn vader nog nooit zo had horen stamelen.

'Heeft u al gehoord dat er een geld-geef-stroom op gang is gekomen? In heel Japan zijn mensen begonnen met het weggeven van geld. Wel 400 kilometer hiervandaan zelfs. Is het niet geweldig?'

De vader van Kenshin staarde mij verbluft aan. Hij leek niet te kunnen begrijpen dat ik daar zo enthousiast over was.

'Geven maakt gelukkig, wist u dat? Als u even geduld heeft, pak ik er een artikeltje bij, waar ik vanmorgen toevallig op stuitte.' Ik liep naar mijn kamer en pakte de krant waarin ik die ochtend had zitten lezen. Het kon niet beter uitkomen!

Terug in de kamer van Chika begon ik voor te lezen:

VREEMDE ZAKEN KRANT

Van geld weggeven word je gelukkig!

Mensen die geld geven aan anderen in plaats van aan zichzelf worden daar heel gelukkig van. Dat blijkt uit een onderzoek dat gepubliceerd is in het wetenschappelijke tijdschrift *Eureka!* De onderzoekers hadden dit enerzijds wel verwacht, maar ze dachten van tevoren niet dat het effect zó sterk zou zijn. Het blijkt dat niet de hoogte van het bedrag bepalend is voor het geluksgevoel, maar wel hoe 'goed' het doel is, waaraan gegeven wordt. Al geven mensen maar een dollar per dag weg, zelfs daarvan worden ze al heel gelukkig. Overigens brengt niet alleen het weggeven van geld een geluksgevoel teweeg. Ook het schenken van een beetje aandacht of het helpen bij een karweitje kan een mens veel voldoening geven.

Toen ik opkeek, zag ik dat de vader van Kenshin nadenkend uit het raam staarde. Het was alsof hij zich iets herinnerde. Zichzelf als jongen? Was hij net zo'n jongen als Kenshin geweest, ooit, lang geleden? 'Nou? Wat denkt u ervan?' vroeg ik.

'Misschien ...,' begon hij, maar toen schudde hij geërgerd zijn hoofd. 'Nee, als we daaraan gaan beginnen! U weet zelf maar al te goed hoe dit land groot geworden is! Niet door vaag geklets over weggeven en goed zijn voor elkaar. Soms moeten we hard zijn voor elkaar!' Bij deze woorden keek hij snel opzij naar zijn zoon. 'Die kinderen moeten nog leren aanpakken. Die denken nog dat alles vanzelf maar aan komt waaien.'

Ik keek hem aan, maar ik zei niets terug. Hij had 'misschien' gezegd en twijfel was een goed begin. Zo was het bij mij ook begonnen. Ook ik dacht altijd alleen maar aan sparen, sparen, sparen, tot aan die dag in de metro.

11 Kenshin

Dat was een rare ontmoeting, daar in het ziekenhuis. Niet met dat meisje, die Chika, die leek me heel aardig, maar zoals die oude man sprak tegen mijn vader. Of eigenlijk vooral hoe hij zweeg! In de lift naar beneden zei mijn vader geen woord. Hij keek strak voor uit, ik kon de donderwolken boven zijn hoofd bijna zien. Even later op de parkeerplaats schopte hij steentjes weg, heel nijdig alsof die kleine steentjes hem vreselijk in de weg zaten.

'Hm, zo'n oude man,' mompelde hij, toen hij de auto startte.

Misschien is het gemeen van me, maar ik had er stiekem wel plezier in. Mijn vader is niet zo gauw onder de indruk van iemand, maar deze oude man had iets gezegd wat hem dwarszat. Het tweede voordeel was dat mijn vader even niet met mij bezig was. Ik kreeg niet eens een preek over wat ik allemaal fout gedaan had en ook onderweg geen enkele aanwijzing voor hoe ik moest zitten of kijken.

Toen we thuiskwamen, trok mijn vader zich meteen terug in zijn studeerkamer. Dat deed hij wel vaker, maar deze keer was ik nieuwsgierig naar wat hij daar ging doen. Op de een of andere manier voelde ik dat hij niet gewoon bankzaken ging zitten oplossen.

Ik drentelde naar mijn eigen kamer, zette de computer aan en zag dat Linda online was.

17:13:10

Kenshin zegt:
Heey Linda!

17:13:18

Linda zegt:
Heey Kenshin, hoe is het afgelopen met alle spullen voor je feestje? Waar zijn ze?

17:13:31

Kenshin zegt:
Mijn vader heeft ze weggegooid.

17:13:48

Linda zegt:
Euh… weggegooid!!!!????

17:14:11

Kenshin zegt:
Ja!! Al dat snoep is maar geldverspilling en geld hoort lekker te sudderen op de bank.

17:14:26

Linda zegt:
Kreun! Wat zonde! Dát is pas echt verspilling. Vertel maar niet wat het allemaal was, dan ga ik echt huilen.

17:14:44

Kenshin zegt:
Ben net op ziekenbezoek geweest.

17:14:59

Linda zegt:
Bij wie?

17:15:17

Kenshin zegt:
Bij dat meisje dat ik omver gefietst had. Je weet wel, met al die volle tassen aan mijn stuur.

17:15:35

Linda zegt:
Wat zei ze?

17:15:56

Kenshin zegt:
Dat het haar schuld was (is ook zo).
Maar ze is wel heel aardig. En raad
eens wat er op haar nachtkastje lag?

17:16:13

Linda zegt:
Een knuffelvarken.

17:16:21

Kenshin zegt:
Mis.

17:16:37

Linda zegt:
Al dat snoep van jou.

17:16:44

Kenshin zegt:
Ha ha. Nee, weer mis.

17:16:52	Linda zegt:
	Kwee nie meer.

17:16:55	Kenshin zegt:
	Een witte envelop.

17:17:12	Linda zegt:
	Je bedoelt toch hoop ik niet zo'n envelop met geld van de weldoener?????????????????

17:17:19	Kenshin zegt:
	Jawel. Ze wilde er een theepot van kopen voor haar oma.

17:17:38	Linda zegt:
	Neeeeeeeee. Dit is gemeen!!!!!!!!! Weet je wel wat ik allemaal doe om zo'n ding te pakken te krijgen? Ik heb inmiddels alle herentoiletten van Tokio vanbinnen gezien!

17:18:06 Kenshin zegt:
Ha ha. Echt?

17:18:12 Linda zegt:
Ja!!!!!!!

17:18:17 Kenshin zegt:
Misschien moet je juist niks doen.
Misschien komt het dan wel vanzelf
naar je toe.

17:18:29 Linda zegt:
Ahum. Is dat soms een oude
boeddhistische wijsheid?

17:18:43 Kenshin zegt:
Nee, dat is een kersverse Kenshin-
wijsheid.

17:18:49	Linda zegt:
	Mijn vader roept. We moeten weg.
	Ik zal jouw wijsheid geborduurd boven
	mijn bed hangen. Wie weet helpt dát!!!
	Later!

Ik grinnikte en liep naar de keuken om een kop thee te vragen. Toen ik door de hal liep, hoorde ik een onbekend geluid. Het kwam uit de kamer van mijn vader. Ik bleef staan. Niet veel later klonk hetzelfde geluid weer. Het leek wel gegrinnik. Wie was er op visite? Ik had niemand binnen horen komen.

Ik weet wel dat je niet aan deuren mag luisteren, maar dit was zo vreemd! Bij het derde giecheltje, schoot ik in één keer rechtop, waarbij ik mijn arm stootte aan de deurpost. Het was mijn vader zelf!

Twee tellen later stond hij voor me. Ik begon meteen te beven als een rietje, want voor luistervink spelen is zo'n beetje het ergste wat je kunt doen bij ons thuis.

Verrast keek hij mij aan.

'U grinnikte,' zei ik zacht, maar ik had weinig hoop dat hij dat een goede reden vond om aan de deur te luisteren. Mijn vader was zó streng!

'Dat klopt,' zei hij met een stem die ik niet zo goed van hem kende. Er klonk plezier in door. Wat zat hij net te doen?

'Er is reden genoeg om te grinniken. Zeg tegen je moeder dat ze niet hoeft te koken. Vanavond gaan we uit eten.'

Als hij tegen me gezegd had dat we een ballonvaart boven Tokio gingen maken, had ik hem niet verbaasder aangekeken.

Ik knikte en rende naar mijn moeder. Nog steeds wist ik niet zeker of ik blij of ongerust moest zijn.

12 Meneer Yokota, de vader van Kenshin

Wat een vertoning daar in het ziekenhuis! Ik heb respect voor oude mensen, dat hoort ook zo, maar zonder het hardop te zeggen, denk ik toch wel dat die oude man een dwaas is. En een gevaar ook! Stel je voor dat dit soort ideeën gaan leven onder onze kinderen. Dat ze uitverkoop gaan houden van alles wat hun ouders en grootouders met hun eigen handen bij elkaar gewerkt hebben. Stel je dat eens voor.

Ik was zo kwaad dat ik op de parkeerplaats zelfs steentjes begon weg te schoppen als een kleine jongen. Gelukkig merkte Kenshin het niet. Die heeft alleen maar aandacht voor automerken.

Onderweg naar huis probeerde ik aan andere dingen te denken. Aan mijn werk, aan de belangrijke vergadering die ik maandag moet voorzitten, maar telkens weer kwam die oude man ertussendoor. Wat was dat toch? Bezat hij soms speciale gaven?

Misschien is hij een boodschapper, dacht ik. Mijn oma had het daar vroeger wel eens over. Dat je open moest staan voor mensen die onverwacht op je pad kwamen en die je leven een totaal andere wending konden geven. Bijna had ik mezelf een klap voor mijn kop verkocht. Wat was dat nou weer voor onzin? Moesten wij mannen niet altijd heel hard lachen om die praatjes van oma? Dat waren toch typische vrouwenpraatjes? Vooral mijn opa liet altijd een bulderende lach horen, als ze weer eens op die toer ging.

'Je levensloop bepaal je zelf,' zei hij altijd. 'Het leven is een opeenvolging van keuzes en het gaat erom met verstand het goede te kiezen. Geloof me, er lopen echt geen raadgevers rond. De enige raadgever is je verstand. Pfff, onverwacht!' besloot hij vaak schamper. En zo was het toch? Jammer alleen dat het net in het ziekenhuis om een oude man ging en niet om een vrouw. Blijkbaar wist mijn opa niet dat er ook mannen met dat soort ideeën rondliepen.

Eenmaal thuis liep ik meteen door naar mijn kamer om achter mijn computer de vergadering van maandag voor te bereiden. Het leek me prettig om die onzin uit mijn hoofd te duwen en mijn verstand weer ruim baan te geven, maar mijn vingers leken geheel zelfstandig iets anders te zoeken: het krantenartikel dat de oude man had voorgelezen. Het ging nog wel om wetenschappelijk onderzoek. Ha, waarom onderzochten die knappe koppen niet waarom het met de economie zo slecht ging? Waarom de beurzen nog steeds niet op peil waren? Dat soort zaken.

Opeens plopte het artikel op mijn scherm. Ik las het hardop. Er waren nog meer artikelen over geld weggeven, ja, zelfs één over bankmedewerkers! Over het weggeven van bonussen! Nou ja! Ongelovig begon ik te lezen:

Het weggeven van een bonus maakt gelukkig

Werknemers die een deel van hun bonus weggeven, in plaats van er iets moois voor zichzelf van te kopen, worden daarvan heel gelukkig. Bedrijven zouden hun werknemers dus moeten aanmoedigen hun bonus met anderen te delen! Op die manier wordt iedereen een beetje blijer.

Uit onderzoek van assistent-professor Pink aan de Best Business School in Ohio en assistent- professor Heart aan de Butterfly University in Kentucky blijkt dat mensen gelukkig worden van het uitdelen van giften en cadeautjes.

Ook heeft men het geluksgevoel van werknemers gemeten vóór en na het ontvangen van hun bonus. Het bleek dat alleen het stukje van de bonus, dat men aan anderen cadeau deed, zorgde voor een verhoogd geluksgevoel. In de derde plaats kregen 70 vrijwilligers een bedrag van 10 of 50 dollar. De helft van de groep mocht dit geld opmaken aan iets moois voor zichzelf. De andere helft moest het geld weggeven. Uiteindelijk bleek dat de weggevers gelukkiger waren, ongeacht de hoogte van het bedrag dat ze mochten weggeven.

Kon dit echt waar zijn? Het waren assistént-professoren die dit onderzoek hadden uitgevoerd, dus geen échte, maar dan nog! Stom waren ze natuurlijk niet.

Plotseling kreeg ik een gouden ingeving. Ha, ik zou wel eens even mijn steentje bijdragen aan dit onderzoek. Als proefkonijn. Wedden dat ik al hun conclusies omver zou trekken? Wedden dat ik vreselijk chagrijnig zou worden zodra ik zelfs maar 100 yen cadeau zou doen aan een of ander goed doel? Wedden?!

Verwoed zocht ik op het internet naar goede doelen. Ik moest echt iets onbenulligs hebben. Mijn oog viel op een judovereniging die geld inzamelde voor nieuwe matten. Ze hadden 50.000 yen nodig.

'Dan krijgen jullie die toch!' riep ik uit. 'Wacht maar, stelletje bedelaars!' Voorlopig had ik gelijk: ik was niet meer alleen chagrijnig, ik begon echt kwaad te worden.

Ik maakte het hele bedrag over, hopla, in één keer. Die judoka's zouden raar opkijken. Ik snuffelde nog wat rond op hun site en bekeek hun zaal. Dat zou veel beter staan, zo'n serie nieuwe matten. Wat zouden die mensen tegen elkaar zeggen? Ze dachten vast dat ik een vergissing had gemaakt! Ik moest er zelfs van giechelen.

Wacht eens even, wat zag ik daar? Ook al zo'n goed doel: arme vissers die nieuwe boten nodig hadden. Hopla, gelijke monniken, gelijke kappen: de vissers kregen ook 50.000 yen. Wat een giller! Ik moest alweer grinniken. Hoe zouden die vissers kijken? Nog één doel, dacht ik. Driemaal is scheepsrecht. En toen viel mijn oog op een school die bij een aardbeving schade had opgelopen. Wat zouden die niet van zo'n bedrag kunnen doen? Voor ik het wist, vloog er opnieuw 50.000 yen van mijn bankrekening. Haha, wat was ik lekker bezig!

Ik hoorde iets op de gang. In twee passen was ik bij de deur. Daar stond Kenshin, met grote schrikogen.

'U grinnikte,' zei hij zacht en meteen boog hij zijn hoofd.

Mijn zoon. Zou ik hem vertellen wat ik zojuist gedaan had?

Maar ik had opeens een veel beter plan. 'Dat klopt,' zei ik vrolijk. 'Er is reden genoeg om te grinniken. Zeg tegen je moeder dat ze niet hoeft te koken. Vanavond gaan we uit eten.'

Verbaasd keek hij naar me op om te zien of ik het meende. Toen rende hij zo snel als hij kon naar zijn moeder.

13 Linda

Ik voelde me echt zielig! Maandagmiddag is al niet mijn favoriete moment van de week, maar nu had ik een regelrechte dip. De hele vorige week had ik behoorlijk mijn best gedaan om per ongeluk expres een envelop te vinden en wat denk je: nada, noppes, niks! Het enige resultaat was dat ik a) voor gek stond (toen ze ontdekten dat ik een meisje was) of b) gewoon werd weggestuurd.

Boos keek ik naar mijn plattegrond met vlaggetjes. Dit was toch zeker geweldig slim bedacht? Op deze manier werden oorlogen gepland en uitgevoerd! Dat had ik in wel tien oorlogsfilms gezien. Het was ronduit gemeen, om mij met zo'n slimme strategie zo achter het net te laten vissen! Achter de pot, kon je zo langzamerhand beter zeggen.

Ik moest echt even getroost worden door Niki en dus dook ik achter mijn computer, in de hoop dat er een mailtje van haar was. Tot nu toe had ik haar niets verteld over mijn speurtocht, want het leek me leuker om opeens ra-ta-ta-ta te komen met mijn 'vondst'. Toen ik mijn mailbox opende, zag ik dat er inderdaad al een berichtje van haar stond.

Van: Niki
Aan: Linda
Onderwerp: geld!!!

Heey Linda,
Heb een heel leuk krantenberichtje voor je! Kun je zien dat Japan niet zo saai is als jij denkt. De

Tokianen vinden geld op straat. Of nee, op de wc! Dat hebben wij hier niet!!!

Ik had de computer het liefst meteen weer uitgezet! Nee zeg, daar had ik zin in! Een blij verhaal over al die andere geluksvogels. Grommend opende ik het artikeltje.

Geld op het toilet

Geld betalen als je gebruik hebt gemaakt van een openbaar toilet, is de normaalste zaak van de wereld. Maar geld krijgen bij een toiletbezoek, dat is ongebruikelijk. Japan is dan ook in de ban van een gulle gever die enveloppen met geld achterlaat op het toilet.

Door Maartje Dammers

Niemand weet wie de gulle gever is, waar hij vandaan komt en waarom hij het geld op het toilet achterlaat. De geldpakketten zijn door heel Japan gevonden. Op plekken die soms wel 400 kilometer uit elkaar liggen.

Er zijn inmiddels al dertig geldpakketjes van 10.000 yen (€ 55) op herentoiletten van verschillende overheidsgebouwen gevonden. Het geld zit verpakt in papier en er is een handgeschreven briefje bijgevoegd met daarop de tekst: 'Maak alstublieft gebruik van dit geld om uw zelfverrijking te financieren.' Verder staat er te lezen dat het geld uitgegeven dient te worden aan een studie of training. Het taalgebruik van het briefje lijkt op dat van boeddhistische monniken. Als het geld niet binnen een half jaar wordt opgeëist, mag de eerlijke vinder het houden.

Bron: Kidsweek.

77

Hoe krijg je iemand chagrijnig! Dertig geldpakketjes! En ik had er niet één te pakken gekregen! Ik had opeens helemaal geen zin meer om Niki te antwoorden. Wat moest ik schrijven? Net op dat moment kwam Kenshin online. Hij had een waanzinnig verhaal over zijn vader. Die was opeens veranderd in een giechelend mens. Ik werd er bijna vrolijk van. Jammer genoeg brak hij onze chat zomaar af. Opeens bedacht ik me dat Niki iets gezegd had over de beugeltandarts. Daar moest ze vanmorgen heen en ze hoopte dat ze tot die tijd thuis mocht blijven van haar moeder. Ik keek meteen of dat gelukt was. Yes!!

17:15:32	Linda zegt:
	Hee jij, ben je aan het spijbelen? Betrapt!!!

17:15:40	Niki zegt:
	Ja goed, hè? Mijn moeder vond het best. Lekker anderhalf uur achter het scherm voordat ik naar De Beul moet.

17:15:55	Linda zegt:
	Wow, dat klinkt wel weer zielig. Nog maar niet aan denken dan. Bedankt voor dat artikeltje! Grappig dat nu zelfs in Nederland bekend is dat de Japanners met geld smijten (grapje). Ik wist het al, want de kranten staan er hier ook vol van en op tv praten ze nergens anders meer over.

17:16:24	Niki zegt:
	Wel geinig toch, al dat gestrooi met geld? Jij gaat nu zeker steeds op de mannen-wc?

17:15:48	Linda zegt:
	Dat hoef je hier niet te proberen! Als ze je betrappen, krijg je volgens mij 80 stokslagen of zoiets. Gelukkig maar, dat geld niet gelukkig maakt. Hoe is het bij jullie?

17:17:06	Niki zegt:
	Saai, as always. Vrijdag hebben we wel gelachen. Het was de verjaardag van mees Har. Wij gingen optreden (Sanne en ik). We deden een dom dansje op 'I will love you forever', van Emily Green, weet je wel? Het zag er niet uit, dat weet ik zeker, maar zelf lagen we de hele tijd in een deuk en mees Har vond het geweldig.

Ik voelde het in mijn buik, echt waar. 'Wij gingen optreden' en dan zo achteloos tussen haakjes 'Sanne en ik'. Vroeger waren Niki en ik samen 'wij'. Vroeger. Een paar maanden geleden nog maar. Het leek eeuwen. Wat had ik graag meegedaan aan dat domme dansje en vooral aan het in een deuk liggen. Daar was ik toevallig erg goed in. Geweest. Reken maar dat ik dán heus niet als een gek op zoek zou zijn naar een pakketje met geld. Ik zou er niet eens tijd voor hebben!

17:17:15	Linda zegt: Wat deden jullie nog meer?

17:17:50	Niki zegt: Het bekende recept: snoephappen, zaklopen. O ja, en mees Har had iets nieuws bedacht: een talentenjacht.

Ik hoorde mijn moeder iets roepen. Riep ze mij misschien?
'Lindááá!'
Ja dus. Ik liep naar de deur van mijn kamer. 'Wat is er?'
'Wil jij nog even naar de winkel? Ik ben iets vergeten.'
Ah! Dit was een dag om nooit te vergeten! Eerst al die leuke verhalen over de birthday van mees Har, waar ik niet bij was, en nou nog even lekker naar de winkel. Zucht! Kreun! Steun!
'Oké, ik kom eraan.'

17:19:02	Linda zegt: Moet boodschappen doen. Zucht. O, en héél véél sterkte bij De Beul. Als hij je pijn doet, bijt je hem maar in zijn hand. Tot later!

Ik slofte de trap af.

'Waar moet ik heen?'

'Naar Popura,' zei mam. 'Ik heb nori* nodig. Het ligt achter in de winkel, weet je wel, aan de rechterkant.'

Grrr. Ik had wel willen grommen. Helemaal naar Popura! Dat was ook nog eens hartstikke ver weg! En het was er altijd beredruk. Nee, dit was echt de meest mislukte dag ooit!

bepaald soort zeewier

14 Kenshin

Het was maandagmiddag en eigenlijk moest ik braaf huiswerk maken, maar ik wilde Linda graag vertellen over de metamorfose van mijn vader. Ze zou het niet geloven!

17:05:21	Kenshin zegt:

Heey Linda. Are you online?

17:05:47	Linda zegt:

Tuurlijk. Wat zou ik anders kunnen doen?

17:06:12	Kenshin zegt:

Huiswerk?

17:06:23	Linda zegt:

Hè bah, doe niet zo naar.

17:06:35	Kenshin zegt:
	Er is hier in huis iets vreemds gebeurd. Mijn vader is opeens veranderd.

17:06:54	Linda zegt:
	Waarin?

17:07:08	Kenshin zegt:
	In iemand die wel eens giechelt.

17:07:24	Linda zegt:
	Ha,ha, wat deed jij voor geks dan?

17:07:36	Kenshin zegt:
	Ik deed niks. Niemand eigenlijk. Hij was alleen in zijn kamer. Ik stond voor de deur en toen hoorde ik het.

17:07:54

Linda zegt:
Stond voor? Bedoel je met je oor TEGEN die deur?

17:08:15

Kenshin zegt:
Nee, je kon het in de hal horen! Ik weet nog steeds niet waarom het was, maar we gingen wel opeens uit eten gisteravond.

17:09:34

Linda zegt:
Zomaar? Lekker! Wat hebben jullie gegeten?

17:10:03

Kenshin zegt:
Ik sushi en mijn ouders een heleboel vis.

17: 10:36

Linda zegt:
Grappig! Dan had je vader toch iets te vieren.

17:11:08	Kenshin zegt:
	Ja, maar het gekke is dat ook mijn moeder niet weet wát.

17:11:46	Linda zegt:
	Eh, oh! Spannend!

Op dat moment ging de deur van mijn kamer open. Het was mijn vader, die met een brede glimlach naar me keek. Wat was dat? Mijn vader die zó vroeg thuis was?

'Kom mee, zoon,' zei hij, want hij mag dan wel opeens zijn gaan glimlachen, als hij vindt dat ik mee moet, moet ik mee.

Ik had zelfs geen tijd om het gesprek met Linda netjes af te sluiten, maar dat kent ze wel van me. Ik liep achter mijn vader aan de trap af.

'Heb je een boodschappentas voor mij?' vroeg mijn vader aan mijn moeder.

Mijn moeder keek hem onzeker aan. Ik zag dat ze dacht dat hij een grap met haar uithaalde. 'Waarom?' vroeg ze.

'Wat doet een mens met een boodschappentas?' vroeg mijn vader.

Mijn moeder gaf hem de tas en keek hem nieuwsgierig aan. Zij snapte er ook weinig van: eerst dat onverwachte etentje en nu die tas.

Mijn vader nam mij mee naar zijn auto en reed in de richting van Mitzuho. Wat nu? Gingen we weer samen in zijn kantoor cola zitten drinken? Eenmaal binnen passeerden we meneer varkenskop. Tegen mijn vader doet hij héél anders, dat kan ik je wel vertellen. We gingen niet naar boven. Voor het eerst in mijn leven kwam ik in de kelder van de bank terecht.

'Wacht hier op mij,' zei mijn vader.

Gehoorzaam ging ik op een stenen bankje zitten. Ik keek mijn vader na, die in een lange gang verdween. Heel in de verte hoorde ik hem met iemand praten. Twee zinnetjes ving ik op: 'Uit mijn privékluis. Ik heb het klaar laten leggen.'

Wát had hij klaar laten leggen? Ik begreep er niets van.

Tien minuten later stond hij weer voor me. De boodschappentas was inmiddels vol.

Mijn vader houdt niet van vragen, maar het werd nu allemaal zo raadselachtig dat ik me niet langer kon inhouden. 'Wat zit daarin?' vroeg ik.

'Je zult het wel zien, zoon.'

Weer kropen we in de auto en mijn vader stuurde hem handig door de drukke straten van de stad. We kwamen bij Popura, de grote supermarkt. Ik had alles verwacht, maar niet dat we dáár zouden stoppen. De boodschappentas was al vol! Wat moesten we hier nog? Mijn vader parkeerde de auto, maar in plaats van naar de ingang van de supermarkt te lopen, draaide hij zich om. We gingen het parkeerterrein af aan de andere kant en liepen een stuk langs een grote weg. Ik begon het bijna eng te vinden! Er werd naar ons getoeterd. Wat deden we hier? De weg liep langzaam omhoog en ging over in een viaduct boven de parkeerplaats van Popura. Ik zag onze auto staan.

Boven op het viaduct hield mijn vader halt. Geheimzinnig

keek hij mij aan. 'Let op, zoon. Nu gaat het gebeuren.' Hij trok aan de rits van de tas.

Ik zag een heleboel papier in die tas, stapeltjes papier. Of waren het ...

'Hopla!' riep mijn vader en hij keerde de boodschappentas om. Er dwarrelden papiertjes uit die tas. Steeds meer. Ze dwarrelden alle kanten op, maar ze zweefden vooral boven de parkeerplaats. De mensen die aan het winkelen waren, keken verbaasd op. Ze riepen naar elkaar en ze staken hun armen uit naar de kleurige wolk die op hen neerdaalde. Ik staarde ernaar, eerst verbaasd, maar toen moest ik heel hard lachen. Mijn vader had het laten regenen. Hij had het geld laten regenen!

15 Linda

Ik fietste zo snel als ik kon door het verkeer. Overal om me heen werd getoeterd, maar ik had geen zin me er iets van aan te trekken. Moest ik eigenlijk wel per se naar Popura? Er waren toch wel meer winkels die nori verkochten? Ik bedacht dat er hier ergens in de buurt een klein supermarktje moest zijn. Daar had je vast geen lange rijen. Ik sloeg rechtsaf en kwam al snel vast te zitten achter een grote vrachtauto die aan het laden of lossen was. Snel trok ik mijn fiets op de stoep om verder te lopen. In de verte zag ik het uithangbord van de kleine winkel al. Het was geel met rode karakters erop. Ik zette mijn fiets tegen de gevel en liep naar binnen. Oei, het was hier wel heel erg vol. Alle producten stonden op en achter elkaar. Ik zou moeten vragen waar de nori lag. Ik liep naar de eerste winkelbediende die ik zag en haalde diep adem.

'Irasshaimaseee!'* zei de jongen.

Ik keek naar hem en begon met mijn handen te bewegen om mezelf op gang te helpen. 'Nori,' zei ik, maar ik sprak het vast verkeerd uit, want hij haalde zijn schouders op. Mijn vingers klauwden wanhopig in de lucht. Ik probeerde de zee uit te beelden. De jongen keek naar me. Hij wilde me echt wel volgen, maar hij snapte er geen snars van, dat was duidelijk. Als hij dít al niet begreep, kon ik mijn imitatie van een plantje dat in het deinende water mee beweegt helemaal wel vergeten. Hulpeloos keek ik rond. De jongen draafde intussen door de winkel en liet me van alles zien met een blij en vragend gezicht? Dit? Of dit?

Welkom

89

Het zag er allemaal even prachtig uit, maar nori was het niet. Ik boog beleefd. 'Dômo arigatô,'* zei ik en snelde de winkel weer uit. Nee, ik móést echt helemaal naar Popura. Daar kon ik de nori tenminste zelf pakken.

Ik had al zo'n voorgevoel! Juist op dat moment wilde heel Tokio naar Popura. Vraag me niet waarom. Er is niets bijzonders aan zo'n late maandagmiddag, maar de Tokianen, zoals Niki ze noemt, denken daar blijkbaar anders over. Ik zette mijn fiets op slot, vlak naast de ingang. Dat mag eigenlijk niet, maar ik had even geen zin me daar iets van aan te trekken. Binnen in de winkel leek ik wel een paling in een pot snot, zo glipte ik links en rechts langs al die winkelende mensen. Ik moest helemaal naar achteren, dat had mama zelf gezegd. Aan de rechterkant.

Gelukkig, de nori was niet verhuisd en er was nog volop. Ik rukte een pakje uit het rek en bewoog me in slalom naar de kassa. Echt waar, ze zouden daar een dans van kunnen maken, de Popuradans. Wat vreselijk jammer dat er bij de uitgang altijd van die ondoordringbare kluwens mensen staan. Niet te geloven! Ik keek om me heen, telde het aantal wachtenden bij de verschillende kassa's en koos voor de kassa helemaal links.

Na drie minuten wist ik dat dat een vergissing was, maar toen hadden zich al vier of vijf mensen achter mij aangesloten. Voor mij stond een stekeblind, oud vrouwtje. Oké, ik overdrijf. Helemaal blind kan ze niet geweest zijn, want ze deed in haar eentje boodschappen, maar ik zou haar toch niet kiezen als ik een torenwachter nodig had. Zucht. Steun. Kreun. Ze kon amper de lopende band vinden, laat staan dat ze in een moordend tempo haar boodschappen daarop kon leggen. Nu ben ik van nature heel behulpzaam, maar helaas spreek ik niet zo heel goed

Heel erg bedankt

Japans. Dus zodra ik iets tegen haar probeerde te zeggen, keek ze me superwantrouwend aan. Ik deed voor wat ik wilde. Ik ben in de afgelopen maanden heel goed geworden in mimen, maar dat maakte de zaak alleen maar erger. Ik geloof dat ze dacht dat ik haar spulletjes wilde pikken. Tja, dan zit er maar één ding op en dat is geduldig wachten. GEDULDIG. IK! Op dit moment! Ik begon met het koordje van mijn shirt te spelen, maakte er een knoopje in en haalde het weer los. Ik plukte aan mijn haar. Ik telde de boodschappen op de band naast de onze. Eindelijk was het vrouwtje voor mij zo ver dat ze alles op onze band had staan. Toen begon het Grote Zoeken naar haar Portemonnee. Ik was al bang dat ze die niet bij zich had. Dat zou je net zien, is alles keurig aangeslagen, zoekt ze nog een kwartier en uiteindelijk moet alles weer stuk voor stuk teruggeboekt worden, omdat ze geen geld heeft. Het viel mee. Met een bibberende hand gaf de oude vrouw het meisje achter de kassa een biljet. Er kwam een handje kleingeld terug en dat moest natuurlijk weer in dat superkleine portemonneetje gefrunnikt worden.

Daarna was ik dan toch echt aan de beurt. 'Alleen dit,' zei ik.

Het meisje sloeg een bedrag aan, ik betaalde en weg was ik. Het oude vrouwtje werd inmiddels geholpen door iemand van de winkel om al haar spullen in haar boodschappenkarretje te krijgen. Ik glipte er zo snel mogelijk langs en liep naar buiten.

Mijn fiets stond nog keurig geparkeerd bij de ingang. Niemand had hem verzet of er een briefje opgeplakt met een waarschuwing. Ik rommelde aan mijn slot en op dat moment gebeurde er iets. Het leek wel of het opeens ging sneeuwen. In juni! Of was er een spontane sprinkhanenplaag losgebroken? Er kwam iets uit de hemel dwarrelen. Iets! Geloof het of niet: er kwam een hele lading geld naar beneden. Iedereen stond er met dezelfde verbaasde blik naar te kijken. Het zag er nogal dom uit, eerlijk gezegd. Maar toen de biljetten lager en lager kwamen, begonnen mensen hun armen ernaar uit te strekken.

'Wat is dat?' riepen ze.

'Waar komt dat vandaan?'

'We moeten het verzamelen!'

Ik gooide mijn fiets terug tegen de muur en stortte me in de strijd. Ik tuurde naar de hemel, wachtte mijn kans af en sprong pas op toen er een biljet heel dicht bij mij in de buurt kwam. 10.000 yen! Ik loerde om me heen. Was vandaag dan toch mijn geluksdag? Ik zag nog een biljet mijn kant op komen. Het schommelde, het dook, het viel voor mijn voeten op de grond. Als dat niet voor mij bedoeld was! Nog eens 10.000 yen! Om mij heen verzamelde iedereen biljetten. Een medewerker van Popura was op een muurtje geklommen met een grote bananendoos in zijn handen. Het was een jongen met een smetteloos lichtblauw pak aan en een klein hoedje op.

'U kunt het hier inleveren!' riep hij.

Inleveren? En wat ging híj er dan mee doen? Een feestje bouwen? Of alles naar de politie brengen? De mensen liepen allemaal snel in zijn richting. Het leek wel alsof ze opgelucht waren dat ze het geld kwijt konden bij hem. Bah, vies geld, bèh, weg ermee. Echt waar! Een man holde naar een auto op de parkeerplaats. Aan het voorwiel zat een biljet vastgekleefd. Hij pulkte het los en wist niet hoe gauw hij het in de bananendoos moest droppen. Alsof hij bang was dat het per ongeluk aan zijn wiel zou blijven plakken! Dat zou toch geen gezicht zijn. Zo'n prachtige, glimmende auto en dan zo'n aftands biljet aan het voorwiel. Bah!

Ik had mijn biljetten allang onder mijn bloes gestopt en liep naar mijn fiets. Of eigenlijk moet ik zeggen dat ik naar mijn fiets sloop, want ik voelde me zo langzamerhand een kleine dief. Dat kwam natuurlijk door al die overdreven eerlijke mensen op het plein. Het geld was uit de hemel komen vallen! Het was voor ons bestemd!

Opeens zag ik het bijna blinde vrouwtje weer. Ze liep vlak

langs me met haar karretje vol boodschappen. Huh? Wat was dat? Bijna was ik hardop in de lach geschoten. Boven op haar spullen lagen allemaal bankbiljetten. Ze moest op een heel goede plek gestaan hebben toen de geldregen losbarstte! Het was een grappig gezicht, zoals zij daar voortsjokte met haar karretje, terwijl ze zelf niet eens wist wat voor schat ze meedroeg. Ik was benieuwd wanneer ze het zou ontdekken!

Ik scheurde naar huis om dit grote nieuws meteen aan Niki te melden. En aan Kenshin.

Niki vond het fantastisch, ongelooflijk – wist ik het wel zeker? – maar echt helemaal te gek. Wat een land was Japan! Dat zou je in Nederland toch niet gauw meemaken. Ja, regen genoeg, vandaag ook weer, maar geldregen! Wow!

Kenshin reageerde heel kalmpjes. Alsof hij het totaal niet bijzonder vond. Alsof het hier in Tokio zo vaak geld regende.

Het leek of hij het helemaal niet snapte.

19:30:43	Linda zegt:
	Hé, het was geld, weet je wel! GELD. BILJETTEN.

19:30:58	Kenshin zegt:
	Jaahaa, dat schreef je al.

Zou hij jaloers zijn?

19:31:11	Linda zegt:
	Weet je wat ik met het geld ga doen?

19:31:26	Kenshin zegt:
	Een mp3-speler kopen.

19:31:42	Linda zegt:
	Nee, ik ben van plan veranderd. Ik ga iets goeds doen voor anderen. En voor mezelf.

19:32:12	Kenshin zegt:
	Wat dan?

19:32:37	Linda zegt:
	Een feestje geven.

19:32:52	Kenshin zegt:
	Hee, waar heb ik dat eerder gehoord?

19:33:18	Linda zegt:
	Je mag komen! En neem je vrienden mee. En vraag ook eh ... dat meisje ... je weet wel ... dat je omver gefietst hebt.

19:33:49	Kenshin zegt:
	Chika. Dat is een goed idee, als ze dan tenminste al uit het ziekenhuis is. Ik ga het haar meteen laten weten!

Ja, ik zou het feestje geven dat Kenshin eigenlijk had willen geven. Hij was zo teleurgesteld toen zijn plannetje niet doorging. Maar ik had nog een ander idee. Nee, niet die mp3-speler, die kon nog wel even wachten. Ik had een andere bestemming voor het geld bedacht ...

De volgende dag ging ik meteen uit school naar het grote station. Weer kwam ik tussen haastende mensen terecht, maar deze keer wist ik precies waar ik naartoe moest. Langzaam naderde ik het viaduct. De kleren hingen nog steeds over het waslijntje. Het leek nog verder door te buigen dan de vorige keer. Op de kist met het kleed eroverheen stonden nu een gedeukte koffiekan en een vuile mok. Ook deze keer lag er iemand in de doos.

95

Ik haalde de envelop, die ik gisteravond uit het bureau van mijn moeder gepakt had, uit mijn tas. Je kon het biljet van 10.000 yen zien zitten, als je héél goed keek.

Met de envelop in de hand liep ik naar de waslijn. 'Veel plezier ermee!' had ik erop geschreven in mijn beste Japans.

Ik haalde een wasknijper los en maakte de envelop vast, precies in het midden van de lijn. Langzaam deed ik een paar stappen achteruit. Ja, zo hing ie goed!

Het leek alsof er geluid uit de doos kwam. Snel draaide ik me om en liep terug in de richting van het station. Hoe zou de man kijken als hij de envelop zag? Als hij de inhoud zag? En wat zou hij ermee gaan doen? Lekker eten kopen? Een nieuwe koffiekan? Ik begon te neuriën en dat deed ik nog toen ik een halfuur later thuiskwam.

16 Kumi

Eigenlijk ga ik altijd al vroeg in de middag winkelen, maar die maandag had ik na de lunch zo lang naar de radio zitten luisteren, dat ik erbij in slaap gedommeld was. Al die berichten over de geldgever! O, ik droomde ervan dat hij bij ons een envelop in de brievenbus schoof. Mijn man Daiki denkt dat die weldoener gevaarlijk is, dat er iets achter zit. Óf dat het hele verhaal verzonnen is, dat de journalisten het ons op de mouw spelden om ons, arme dwazen, bezig te houden. 'Het geld komt niet zomaar uit de hemel vallen, Kumi,' zei hij, mijn nuchtere Daiki. 'Droom jij maar verder.'

En dat deed ik. Want ook als het niet echt waar was, was het nog altijd leuk om erover te fantaseren. Ik zou naar het theater gaan en ik zou op de eerste rij gaan zitten zodat ik alle kostuums kon zien, zodat ik de acteurs bijna kon horen ademhalen en de gezichten van de musici kon zien vertrekken als ze een moeilijk stuk speelden.

Die maandag had ik er weer van zitten dromen en volgens Daiki zat ik in mijn slaap te lachen van geluk. 'Ouwe gek,' zei hij. Dat bedoelde hij aardig, hoor. 'Moet ík vandaag soms boodschappen doen? Of eten we eens een dag niks?'

Ik was meteen klaarwakker, want al zie ik dan niet zoveel, boodschappen doen is mijn taak. Daiki had mijn karretje al voor me klaargezet.

Ik trok mijn blauwe mantel aan en vertrok. Ik genoot, want ik houd ervan om door de straten te lopen en onder de mensen te zijn. De weg naar de grote supermarkt ken ik op mijn duimpje. De geluiden en geuren op straat waarschuwen me voor gevaar.

Toen ik de supermarkt binnenstapte, merkte ik dat het drukker was dan anders. Ik zag veel meer schimmen en ik hoorde vooral veel meer stemmen, karren die tegen elkaar tikten en dingen die verschoven werden. Het was dus oppassen geblazen. Ik wandelde naar de groenteafdeling en nam tomaten, nasubi*[1], lente-ui en peterselie mee. Ik rook dat ze verse vis hadden en kocht een flinke moot zeebaars. Daarna nog wat rijst, noedels en kruiden, wat saké*[2] voor Daiki en thee voor mezelf. En natuurlijk moest ik nog even langs de koekafdeling voor cake. Terug voor in de winkel luisterde ik om te horen welke kassa het snelst werd aangeslagen. Helemaal links moest ik zijn, dat was duidelijk.

Ik stond er nog niet zolang, toen ik opeens een meisjeshand op mijn bovenarm voelde. Het was een haastig handje, heel dwingend, en daar houd ik niet van. Daarop begon dat meisje vreemde klanken uit te stoten. Hier en daar begreep ik een woordje, maar het meeste was volslagen onzin. Wat was er met haar aan de hand? Ik kneep mijn ogen tot spleetjes om haar beter te kunnen zien. Het was geen Japanse. Ik denk dat ze uit Europa kwam. Ze was groot en blond en als ik het goed zag, keek ze ook behoorlijk brutaal uit haar ogen. Ze zwaaide met haar armen en pakte iets uit mijn karretje. Ik begreep er niets van. Wilde ze me iets verkopen? Wilde ze iets meenemen? Verschrikt schudde ik mijn hoofd. Wat ze ook wilde, ík wilde het niet. Bijna had ik om hulp geroepen. Jonge mensen waren tegenwoordig zo anders dan vroeger. Maar gelukkig liet ze me verder met rust.

Ik was heel tevreden toen het me gelukt was alles op de band te zetten. Nu nog betalen en dan kon ik weer naar huis. Daiki vroeg zich de laatste tijd regelmatig af of ik nog wel alleen boodschappen kon doen. Ha! Hier was het bewijs.

*[1] *Japanse aubergine*
*[2] *rijstwijn*

Ik werd geholpen bij het inpakken en daar ging ik. Net toen ik door de schuifdeuren naar buiten stapte, gebeurde er iets vreemds. De hemel werd donker en er viel iets naar beneden. Zoveel had ik nog wel gehoord op de radio, dat ik wist dat het niet zou gaan regenen. Maar het wás ook geen regen. Het rook niet naar regen. Ik deed mijn uiterste best iets te zien. Het leken wel vlokken. Vlokken van papier.

Om mij heen begonnen mensen te roepen: 'Het is geld! Er valt geld uit de hemel!'

Ik wist niet wat ik moest doen. Ik liep met mijn karretje naar het midden van de parkeerplaats. Wat zou ik graag zo'n biljet te pakken krijgen! Ik greep lukraak om me heen, maar ik ving natuurlijk niets.

'U kunt het hier inleveren!' hoorde ik iemand roepen.

Was er politie op het terrein? Hoeveel geld was er eigenlijk gevallen? En bracht iedereen het eerlijk terug? Ik voelde me echt bedroefd. Nu was ik zó dicht bij een gift van de weldoener geweest – want het moest wel van hem zijn, van wie anders? – en nog was het mij niet gelukt iets te bemachtigen. Wat een oude, blinde sukkel was ik toch!

Ik sjokte naar huis. Zou ik het verhaal aan Daiki vertellen? Hij zou me niet geloven! 'Geld uit de hemel?' zou hij zeggen. 'Dat kán toch niet. Het móét iets anders geweest zijn.'

'Wat is er?' vroeg Daiki, zodra hij mijn treurige gezicht zag.

'Het was zo druk in Popura,' zei ik maar.

'Ga maar lekker zitten,' zei hij. 'Dan pak ik het karretje wel uit.'

Ik wilde net de kamer binnengaan, toen Daiki als een dwaas begon te schreeuwen. Wat nu? Had dat meisje toch iets met mijn spullen gedaan?

'Kumi! Je kar zit vol geld!'

100

Mijn kar? Zachtjes begon ik te lachen. In gedachten zag ik mezelf weer staan daar op de parkeerplaats, wanhopig grijpend naar het geld, terwijl de biljetten gewoon vanzelf mijn kar in vielen.

'Hoe kan dat?' vroeg Daiki wantrouwend. Het leek wel of hij dacht dat ik de bank beroofd had, of zoiets.

'Soms komt het geld uit de hemel vallen,' zei ik.

'Nee, echt Kumi, vertel het me,' drong hij aan.

Toen vertelde ik het hem, precies zoals het gegaan was. Precies zoals ik mezelf in gedachten had gezien, daar midden op de parkeerplaats. Hij geloofde er natuurlijk geen snars van. Ik voelde dat hij me telkens weer strak aankeek.

Pas toen het een paar uur later op het nieuws kwam en hij andere mensen hoorde vertellen hoe het geld uit de hemel was gekomen, geloofde hij mij.

'We moeten het naar de politie brengen,' zei hij.

'Geen sprake van!' riep ik. 'Het is in míjn karretje gevallen, dus bepaal ik wat we ermee doen. We gaan naar het theater!'

'Maar Kumi, je weet helemaal niet wie die weldoener is!'

'Dat hoef ik ook niet te weten!' zei ik.

We ruzieden nog een halfuurtje door, maar ik hield vol. Uiteindelijk legde Daiki zich er zuchtend bij neer. Na een tijdje zag hij zelfs in hoe grappig het eigenlijk was.

'Ha, ha, Kumi, jij met je karretje!' lachte hij. 'En maar om je heen grijpen, terwijl … ha, ha.'

Toen hij een beetje bedaard was, zei hij: 'We gaan naar het theater, Kumi. En we zullen op de eerste rij zitten. Let maar op. Je zult alle kostuums goed zien, de acteurs horen ademhalen en de gezichten van de musici zien vertrekken als ze een moeilijk stuk spelen.'

En ik? Ik knikte blij.

17 Yasuo

 Het gonsde van de geruchten in het ziekenhuis. Die middag zou er iets vreemds gebeurd zijn bij warenhuis Popura en dus wilde ik 's avonds naar het nieuws kijken. Eigenlijk mocht ik nog steeds niet zonder begeleiding rondlopen, maar zelf vond ik dat onzin.

Ik moest gewoon voorzichtig doen en vooral niet vallen. Dus schuifelde ik naar de gemeenschappelijke ruimte, waar de tv stond. Chika zat daar ook al.

'Heeft u het gehoord?' vroeg ze, terwijl ik me op een stoel liet zakken. 'Er is geld uit de lucht gevallen.'

Ik knikte en ik voelde hoe ik warm werd vanbinnen. 'Ik heb het gehoord. Geweldig, hè?'

Het nieuws begon en alle geruchten bleken meer dan waar te zijn. Er kwamen wel vijf mensen aan het woord, die telkens opnieuw hetzelfde vertelden. Hoe ze geschrokken waren, dat ze het niet konden geloven en dat ze het eng vonden. Wat was dit toch? Waarom werd hun arme stad zo geplaagd? Ook de bedrijfsleider van Popura werd geïnterviewd en hij vertelde met een diepe denkrimpel in zijn voorhoofd dat al het geld was verzameld en overhandigd aan de politie. Wat jammer toch, dat de mensen zo slecht in staat waren te ontvangen. Maar ik geloofde zijn verhaal niet helemaal. Er móésten ook mensen zijn die dit wel als een cadeautje zagen.

Er kwam iemand binnen. Het was de verpleegster die op de eerste avond aan mijn bed gezeten had en mij lekker eten had gebracht. Ik begroette haar. Zodra ze hoorde waar de mensen op tv over spraken, ging ze zitten en keek met open mond mee naar het scherm.

'Mijn oma was daar ook!' zei ze toen de nieuwslezer verderging over wat anders. 'Ze is halfblind, maar behoorlijk eigenwijs. Mijn opa vindt eigenlijk dat ze niet meer alleen de straat op mag, maar dat laat ze zich niet zeggen. "Ik heb geen ogen nodig," zegt ze altijd, "ik heb een ingebouwd kompas."'

Opeens moest ik denken aan de oude mensen in het park, die ik een paar dagen eerder had horen praten. 'En, heeft je oma een biljet te pakken gekregen?' vroeg ik.

De verpleegster kreeg een kleur. 'Ik moet eerlijk toegeven, dat dat inderdaad zo is. En zíj heeft het niet ingeleverd.'

'Goed zo!' zei ik.

De verpleegster lachte. 'U bent een mooie! Maar ze kon er niets aan doen! Ik zei al dat ze halfblind was en ze stond daar met haar karretje op de parkeerplaats. Het geld is er vanzelf in gevallen, terwijl zij dat niet in de gaten had.'

Nu werd ik nóg vrolijker. 'En nu gaat ze naar het theater,' zei ik op goed geluk.

'Hoe weet u dat nou?'

'O, ik eh … ik raad maar wat,' zei ik vlug.

'Maar het klopt precies! Ze wilde altijd al zo graag een keer naar het theater en dan op de eerste rij zitten.'

'Ja,' zei ik, 'want dan kan ze alle acteurs en kostuums heel precies zien én de gezichten van de musici als ze een moeilijk stuk spelen.'

Nu keek de verpleegster me onderzoekend aan. 'Kent u mijn oma soms?' vroeg ze.

'Welnee,' zei ik lachend. 'Maar het is toch logisch dat ze dat wil?' Ik zag de oude vrouw uit het park weer haarscherp voor me. Het was me toen niet gelukt haar het geld toe te stoppen. Wat een geluk dat zij midden in die geldregen stond! Intussen was ik natuurlijk wel heel benieuwd wie de gulle gever bij Popura was.

'Het liep nog bijna mis,' ging de verpleegster verder. 'Want mijn opa wilde het geld naar de politie brengen. Ze kregen er zelfs een beetje ruzie over!'

'En wie won er?' vroeg ik.

'Mijn oma natuurlijk. Ik zei toch al dat ze op u leek?'

Al die tijd had Chika zwijgend geluisterd, maar bij die laatste zin moest ze lachen.

'Hé, jij begint alweer op te knappen,' zei de verpleegster. 'Hoe is het met die vingers van je? Kun je alweer piano spelen?'

Chika deed het voor in de lucht.

'Dat ziet er goed uit. Misschien heb je zin om in de jongerenkamer even wat te chatten met je vrienden?'

'Kan dat?' vroeg Chika blij.

'Natuurlijk! Loop maar met me mee. Ik wijs je de weg.'

Ik keek Chika na, terwijl ze aan de arm van de verpleegster naar de gang schuifelde. Volgens mij was zij net als ik op eigen kracht hiernaartoe gekomen, maar goed. Chatten met je vrienden. Ik had geen idee hoe dat werkte, maar zo te zien was het leuk!

18 Chika

Mama en oma kwamen op visite. 'Wat was je toch van plan die zaterdagmorgen?' vroeg mama me voor de tiende keer. 'Niks bijzonders,' antwoordde ik. 'Ik wilde wat winkels kijken en misschien even naar oma.' Opeens kwam Yasuo binnen lopen. Hij kende oma en mama inmiddels ook al, dus begroetten ze elkaar vriendelijk en beleefd als altijd.

'Ik heb een vraagje,' zei hij, 'maar het komt zo wel, als het bezoekuur afgelopen is.'

Oma en mama keken een beetje beledigd, maar Yasuo trok zich daar niets van aan. Ze waren nog niet weg of hij stond weer in mijn kamer met iets onder zijn arm. Het was een Engelse krant.

'Ik heb de indruk dat hier een artikel in staat over die weldoener,' zei hij. 'Ik ben er nogal in geïnteresseerd, maar Engels lezen kan ik niet. Kun jíj dat?'

'Ik wil het wel proberen,' zei ik voorzichtig.

Vol verwachting vouwde hij de krant uit op mijn deken en tikte op een vette kop: Japanners niet allemaal blij met gulle giften.

Vlug keek ik het artikel door. 'Dat moet wel lukken,' zei ik.

Yasuo ging op een stoel zitten, maar meteen daarna veerde hij alweer omhoog. Het was duidelijk dat hij érg graag wilde weten wat er allemaal stond. En opeens begreep ik het ... Dat ik dát niet eerder had bedacht! Hij, Yasuo was de weldoener! Daarom had hij meteen die witte envelop gezien toen ik binnengebracht werd op de brancard. Wie let er normaal nou op zoiets? Daarom had hij Kenshin en mij verdedigd tegenover Kenshins vader! En

105

daarom wilde hij nu natuurlijk dolgraag weten wat ze allemaal over hem te vertellen hadden in het Engels. Ik begon te vertalen.

Japanners niet allemaal blij met gulle giften

Door Ian Young,
Special News, Tokyo

Wat zou je doen als je een envelop vond met geld? Zou je er iets leuks van kopen? Zou je het op de bank zetten? Of zou je het onmiddellijk naar de politie brengen? Het blijkt dat Japanners liever het laatste doen.

Ik aarzelde even. Was het wel leuk voor Yasuo om te horen dat iedereen het geld naar de politie bracht? Zíjn geld? Hij had er vast iets heel anders mee bedoeld. Aan de andere kant had hij dit op de tv natuurlijk ook al gehoord.

In de afgelopen tijd zijn er honderden witte enveloppen met geld achtergelaten in herentoiletten van overheidsgebouwen in heel Japan. In de enveloppen zaten ook briefjes, waarin gevraagd werd 'iets goeds te doen met het geld'. Ook werden de bewoners van een flatgebouw in Tokio verrast door een envelop met geld in hun brievenbus. En op de parkeerplaats van een grote supermarkt regende het bankbiljetten. Maar zijn de Japanners blij met deze onverwachte giften? Het lijkt erop van niet. De meeste mensen voelen zich erg ongemakkelijk met deze plotselinge cadeautjes. Ze brengen het geld het liefst zo snel mogelijk naar de politie. Onze verslaggevers zochten de bewoners op van het Glanz Ober appartementenblok, waar het geld zomaar in de brievenbussen viel. De geldgever kon hier wel heel gemakkelijk in en uit glippen, want in de hal was geen bewoner te bekennen.

Hier kon ik me niet meer inhouden. 'Daar woon ik!' riep ik uit. 'Zo kom ik aan die witte envelop!' Meteen boog ik me weer over het artikel.

We probeerden iemand te interviewen die een envelop ontvangen had, maar dat bleek nog niet zo gemakkelijk. Eén vrouw wilde wel door de intercom met ons spreken, maar ze weigerde haar deur voor ons te openen. 'Ik heb geen idee wie dit heeft gedaan,' zei ze.

'Ha, ha, dat is mijn moeder!' riep ik uit. 'Die was zo bang voor de journalisten, dat ze ze niet eens boven aan de deur wilde hebben. O, kijk en hier gaat het verder over mijn buurman, meneer Tashiro!'

Een van de bewoners, een man van een jaar of zestig, maakte zich kwaad over alle aandacht voor de zaak. 'Mensen zijn heel, heel erg bezorgd,' vertelde hij ons. 'Stel jezelf maar eens in onze plaats. Wij zijn erg ongerust.'

Ik durfde Yasuo niet te vertellen over het plakkaat dat buurman Tashiro samen met buurvrouw Taira voor het raam had geplakt. En ook niet over buurvouw Scheepstoeter, die dacht dat de geldgevers gevaarlijke criminelen waren. Arme Yasuo! Snel las ik verder.

Bij de Popura-supermarkt, waar het gisteren geld regende op de parkeerplaats, troffen onze verslaggevers een zenuwachtige manager. 'Toen de bankbiljetten uit de lucht kwamen, begonnen de mensen deze meteen te verzamelen,' vertelde hij. 'Ze leverden alles bij mij in. De eerlijkheid van onze klanten was heel bijzonder.' Sommige mensen denken dat de geldgever een heel gelovig mens is. Misschien hoopt de gulle gever later een grote beloning te krijgen voor al deze goede daden. Maar tempelbezoekers in Tokio betwijfelen of dit waar is. 'Wij offeren geld in onze tempels, maar wij laten het niet achter in toiletten. Dat heeft geen zin.' Anderen denken dat het om een rijke zakenman gaat, die niet weet wat hij met zijn geld moet doen. In elk geval past de politie op alle enveloppen, totdat de eigenaar zich meldt. Als die zich niet laat zien binnen zes maanden, is het geld van de gemeente waar het gevonden is. Eén bezoeker van de tempel verzuchtte dat de gever wel een buitenlander moet zijn. Alle Japanners weten dat hun landgenoten het geld meteen naar de politie brengen en dat het uiteindelijk bij de gemeente terechtkomt. Japanners begrijpen dat hun landgenoten alleen maar heel zenuwachtig worden van al dat geld.

'Denkt u ook dat de weldoener een buitenlander is?' vroeg ik onschuldig.

Yasuo glimlachte vaag.

Toen kon ik me niet meer inhouden. 'Volgens mij bent u het!'

'Dat kan toch niet,' zei Yasuo. 'Om te beginnen lag ik in het ziekenhuis, toen dat geld uit de hemel viel.'

'Toen wel,' zei ik. 'Maar al die andere enveloppen in de herentoiletten en bij ons in het flatgebouw, die komen volgens mij van u.'

Ik zag hoe Yasuo aarzelde. Hij deed zijn mond open om me tegen te spreken, dat zág ik, maar toen begon hij te lachen. 'Ik ben ontmaskerd,' zei hij.

'Waarom heeft u dat gedaan?' vroeg ik.

'Omdat het goed voelde,' zei hij. 'Geven maakt gelukkig.'

Ik dacht aan de blauwe theepot, die ik oma nu zo gauw mogelijk cadeau wilde doen. Ik zag haar blije gezicht al voor me en ik wist dat Yasuo gelijk had. In elk geval maakte het geven van een blauwe theepot mij heel gelukkig.

'Ik vraag me alleen af wie dat geld heeft gestrooid bij Popura,' zei Yasuo. 'Kijk, er zijn navolgers, ik héb een geld-geef-golf op gang gebracht. Maar zoveel geld? In één keer? Dat moet een rijk mens geweest zijn.'

Vlak na het eten, om zeven uur, kwam Kenshin breed lachend mijn kamer binnen stappen.

'Waar is Yasuo?' vroeg hij.

'Kom, we lopen even naar hem toe,' zei ik.

Inmiddels mocht ik me vrij bewegen door de gang. Ik mocht waarschijnlijk zelfs al over een of twee dagen naar huis!

Yasuo zat in de gezelschapsruimte en was verdiept in een krant.

'Bezoek!' riep Kenshin.

'Hé, kijk eens aan, de fietser!' zei Yasuo.

'Jawel,' zei Kenshin.

'Hoe is het met je vader?'

'Blijer, maar wel armer,' zei Kenshin met glimmende ogen.

'Armer?'

'Ja, hij heeft uw advies opgevolgd en is aan het weggeven geslagen.'

'Echt waar?' vroeg ik verbaasd.

'Hij heeft het geld laten regenen.'

Yasuo trok zijn wenkbrauwen op, maar toen ontspande zijn gezicht. 'Was híj het?' vroeg hij zacht.

'Ja,' zei Kenshin. Hij lachte trots. 'Ik was erbij. Ik snapte er totaal niets van, toen mijn vader daar doodleuk die tas omdraaide en ik al dat geld zag zweven. Eerst was ik bang. Ik dacht even dat hij gek geworden was! Hij deed zo anders! Pas toen ik terugdacht aan wat u tegen mijn vader had gezegd, begon ik het te begrijpen. Toen durfde ik rustig te kijken naar al dat zwevende geld en die verbaasde mensen op de parkeerplaats. Het was een fantastisch gezicht!'

'Dat wil ik geloven.'

'En er stond een vriendin van mij op die parkeerplaats!'

'Wist je dat?' vroeg ik.

'Nee! Zij doet al weken haar best om een envelop met geld te vinden. Ze is zelfs vermomd allerlei herentoiletten ingegaan! Om geld te vinden!'

Yasuo schoot in de lach. 'En niets gevonden?'

'Nee, niets. Nou ja, bij Popura dus. Daar kwam het zomaar naar beneden.'

'Gaat ze er iets goeds mee doen?' vroeg ik, want ik wist dat Yasuo dat zou willen weten.

Kenshin lachte. 'Eerst was ze vast van plan een mp3-speler te kopen. Maar nu ze het geld heeft, gaat ze in de eerste plaats een feestje geven. Eigenlijk gaat ze mijn feestje geven in het park. Jij bent ook van harte uitgenodigd.'

Bij die laatste woorden keek hij naar mij. Verlegen gluurde ik

110

opzij naar Yasuo.

'En u ook!' zei Kenshin snel.

'Wat doet ze in de tweede plaats?' vroeg ik.

'Ze heeft geld aan een zwerver gebracht, een man die in een doos onder de brug woont.'

Yasuo glimlachte. Hij liet zich wat achterover zakken en keek heel tevreden.

Een tijdje zaten we zwijgend bij elkaar, tot Kenshin opeens aan Yasuo vroeg: 'Maar weet u wat ik het mooiste vond, daar op dat viaduct bij Popura?'

'Nou?'

'Het mooist van alles was het gezicht van mijn vader. Echt, ik heb hem nog nooit zo gezien. Zo ... tevreden. Hij is een ander mens geworden. Hij lacht, hij giechelt zelfs. Ik heb het zelf gehoord!'

'Ja,' zei Yasuo. 'Ik heb het jullie toch gezegd? Geld maakt niet gelukkig. Geld weggeven, dát maakt pas gelukkig.'

Andere boeken uit de serie NIEUWS!

Ben ik al beroemd?

Claudia kan het haast niet geloven. Er komt een speciale editie voor kinderen van Ben ik al beroemd?, haar favoriete tv-programma! En zij mag samen met vijf andere kinderen naar het huis waar ze dag en nacht worden gevolgd door camera's.

Pas in het huis ontdekt Claudia hoe de wedstrijd echt in elkaar zit. En daar is ze het niet mee eens! Samen met de andere kinderen neemt ze de regie van het tv-programma zelf in handen.

Jørgen Hofmans las het bericht 'Boosheid over kinder-Big Brother' in de krant. Hij schreef een spannend verhaal dat kinderen tot denken aanzet. Hoe ver mag je met kinderen op tv gaan?

De geheime opdracht

Op camping 'De Olmen' is het altijd gezellig in de zomer. Lekker zwemmen, skeeleren, kletsen. Of meedoen aan de spannende speurtocht. Maar dit jaar is er nog iets extra's georganiseerd. Het gaat om een spel met een geheime opdracht en er mogen maar vier kinderen aan meedoen.

Evelien en Jamilla vormen een team, Wallace en Timo het andere. Elk team krijgt een envelop met daarin een slordig uitgeknipt krantenbericht. De kinderen weten niet meteen wat ze ermee moeten doen. Toch gaan ze aan de slag en beleven de meest bizarre, spannende en leuke zomer van hun leven.

Mireille Geus heeft een speciaal oog voor bijzondere berichten in de krant. Of het nu gaat over sokken, staatsloten of wandelstokken ... De wereld zit vol spannende verhalen. Lees dit boek maar!

Gestolen!

Sylvia mag de hoofdrol spelen in de eindmusical. Superleuk! Met een paar vriendinnen gaat ze make-up kopen voor de voorstelling. Eigenlijk heeft Sylvia totaal geen belangstelling voor make-up, maar goed, ze laat zich meeslepen door haar vriendinnen.

Anneloes daagt Sylvia zelfs uit om de mascara gewoon in haar tas te stoppen. Sylvia wil dit niet, echt niet, maar voor ze er erg in heeft zitten er spullen in haar tas. En ja hoor, zíj wordt aangehouden, terwijl de andere meiden plotseling zijn verdwenen! Sylvia moet in haar eentje mee naar het politiebureau …

Anke Kranendonk las het bericht 'Winkels maken diefstal makkelijk'.
Daaruit blijkt dat tieners soms zo ver gaan dat ze stelen om bij de groep te horen. Dit bericht liet Anke Kranendonk niet meer los. Ze schreef een aangrijpend verhaal!

115